DU MÊME AUTEUR

Aux Éditions Gallimard

LA SAGESSE DE L'AMOUR.

LA DÉFAITE DE LA PENSÉE.

LA MÉMOIRE VAINE, *Du crime contre l'humanité.*

Chez d'autres éditeurs :

LE NOUVEAU DÉSORDRE AMOUREUX, en collaboration avec Pascal Bruckner, Seuil.

RALENTIR : MOTS-VALISES!, Seuil.

AU COIN DE LA RUE, L'AVENTURE, en collaboration avec Pascal Bruckner, Seuil.

LE JUIF IMAGINAIRE, Seuil.

LE PETIT FICTIONNAIRE ILLUSTRÉ, Seuil.

L'AVENIR D'UNE NÉGATION, *Réflexion sur la question du génocide,* Seuil.

LA RÉPROBATION D'ISRAËL, Denoël.

LE MÉCONTEMPORAIN

ALAIN FINKIELKRAUT

LE MÉCONTEMPORAIN

PÉGUY, LECTEUR DU MONDE MODERNE

GALLIMARD

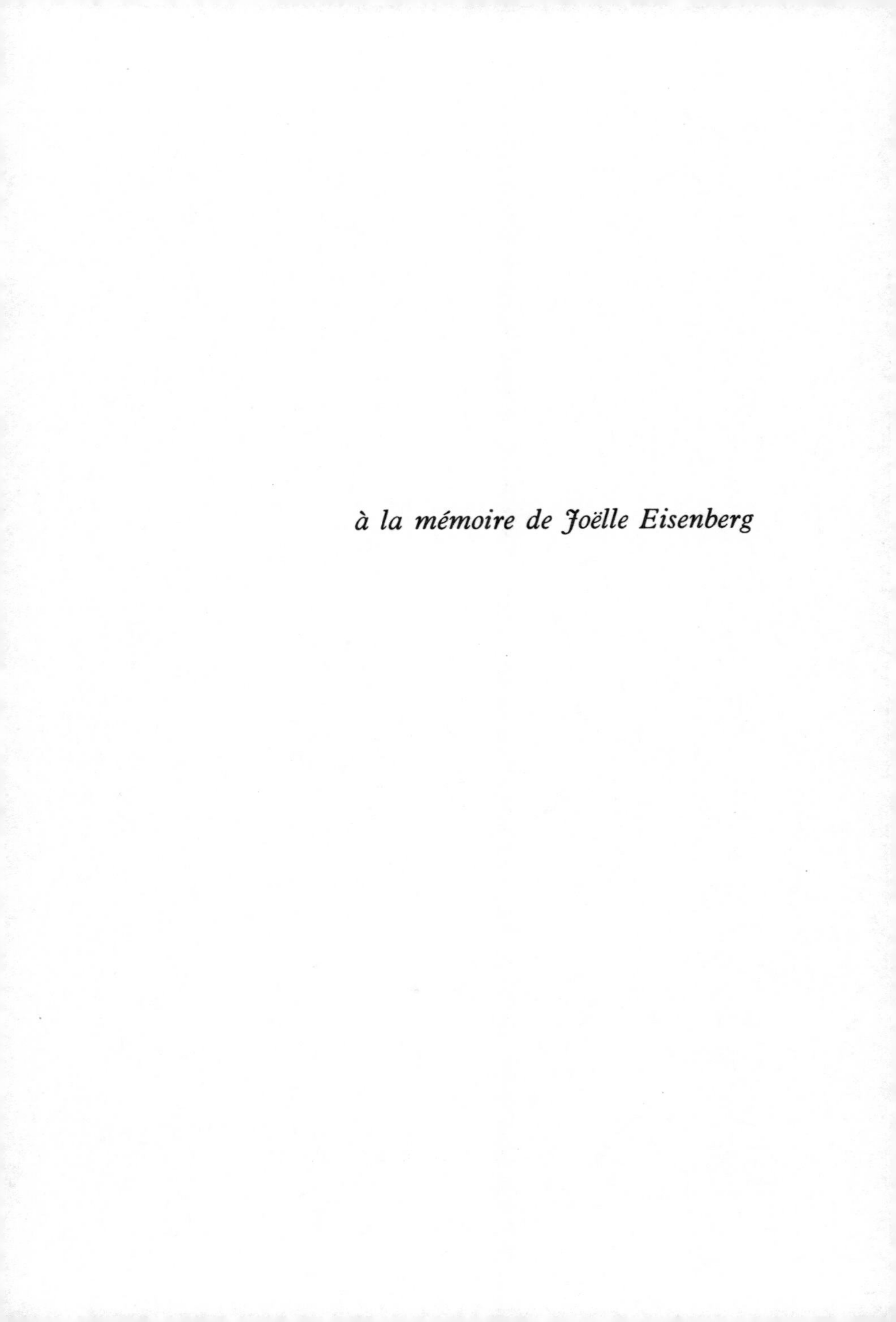

à la mémoire de Joëlle Eisenberg

INTRODUCTION

« Notre jeunesse » et la jeunesse du monde

L'homme moderne table sur la compétence de l'avenir pour corriger les injustices du présent. Il pourvoit l'humanité en bloc et en mouvement des qualités qui font défaut aux hommes pris un à un. Il place dans le temps qui vient la confiance qu'il retire à l'Éternel. Tel cet éminent romancier déclarant récemment au nom des artistes, des scientifiques et de toutes les disciplines de l'esprit : « En fin de compte, de même que l'on disait autrefois : " Dieu reconnaîtra les siens ", je crois que l'on peut avancer sans trop se tromper que, tôt ou tard, d'une manière ou d'une autre, l'Histoire (ou l'espèce humaine) reconnaîtra les siens [1] », l'homme moderne marche à la postérité : il est, selon le mot de Diderot, postéromane.

Pour Péguy, cette postéromanie moderne repose sur une grande illusion. Et il confie à l'histoire en personne le soin de démystifier l'Histoire : « En vérité je vous le dis, moi l'histoire : c'est vraiment un scandale; et c'est donc un mystère; et c'est vraiment le plus grand mystère de la création temporelle : Que les (plus grandes) œuvres du génie soient ainsi livrées aux bêtes (à nous messieurs et chers concitoyens); que pour leur éternité temporelle elles soient ainsi perpétuellement remises, tombées, permises, livrées, abandonnées en de telles mains, en de si pauvres mains : les nôtres [...] Nous sommes libres de dire et de faire toutes les sottises que nous voulons [...] Il est effrayant, mon ami, de penser que nous avons toute licence, que nous avons le droit exorbitant, que nous avons *le droit* de faire une mauvaise lecture d'Homère, de découronner une œuvre du génie, que la plus grande œuvre du plus grand génie est livrée en nos mains, non pas inerte mais vivante comme un petit lapin de garenne. Et surtout que la laissant tomber de nos mains, de ces mêmes mains, de ces inertes mains, nous pouvons par l'oubli lui administrer la mort. Quel risque effroyable, mon ami, quelle aventure effroyable; et surtout quelle effrayante responsabilité [2]. »

La postériorité confère donc bien la maîtrise, mais non la supériorité. Elle met l'œuvre vivante du mort à la merci des mains inertes ou inexpertes du vivant. Nous pouvons tout faire et tout dire d'Homère : il ne tentera pas de résistance, il n'émettra aucune protestation. Et les générations futures auront le même pouvoir sur nous : « Ce qu'il y a d'admirable, précisément, depuis le temps qu'ils font des appels à la postérité, c'est qu'ils n'aient jamais considéré, c'est qu'ils n'aient jamais voulu penser ce que c'était que la postérité. Que la postérité c'est comme eux. Que la postérité c'est eux plus tard. Tout simplement. Non, ils veulent en faire, ils en font un magistrat de la postérité. Il faut toujours qu'ils confèrent une autorité à quelqu'un. Elle aura bien d'autres chiens à fouetter, la postérité; c'est à savoir : ses propres chiens [3]. »

Tandis que pour le postéromane, qui applique à l'épopée humaine l'intrigue du *Comte de Monte-Cristo*, tous les torts et tous les outrages seront, un jour ou l'autre, réparés, Péguy vit dans l'angoisse de l'irréparable : l'auteur d'*Ève* et de *Clio* ne sait pas quel sera le visage de l'avenir ni à qui reviendra le mot de la fin. Le chrétien est ici incrédule, et le moderne, religieux : l'humanité du second s'élèvera demain jusqu'au point de vue où il est possible de contempler la totalité de ce qui est; le Dieu du premier ne protège pas l'homme contre la liberté de défaire ce qui a été fait, d'abîmer ou de *décréer le monde* : demain ne s'oppose pas à aujourd'hui comme l'éternel au temporel ou la plénitude à la finitude; demain, c'est du temporel, du temporaire, du périssable *ultérieur*.

Si, spontanément, nous sommes postéromanes et nous croyons, avec Diderot, que « le temps voit tout [4] », rien ne conforte l'*athéisme historique* de Péguy comme le traitement que la postérité lui inflige. Aucune œuvre peut-être n'a eu, autant que la sienne, à pâtir de notre liberté de dire et de faire toutes les sottises que nous voulons. Aucune œuvre n'a été à ce point maltraitée par ses lecteurs, notamment par ses derniers lecteurs. Avili et abandonné, Péguy est à lui-même son meilleur exemple, la plus flagrante illustration de sa thèse sur l'aventure du temps : « C'est dans les petits traités de morale à deux sous, mon cher enfant, dans les petits bouquins de morale plus ou moins universitaire, primaire, secondaire, et même supérieure, et même extérieure, dans les petits traités laïques, civiques, morale et civique, instructifs, je veux dire d'instruction, et d'éducation, éducatifs, étatiques, sommaires, commodes, ecclésiastiques, d'encouragement, et qui préparent très bien au baccalauréat, et même au brevet supérieur, que ça s'arrange bien, que tout s'arrange, que le juste est heureux sur terre, qu'il réussit, que la justice donc règne temporellement [5]. » La vie, elle, n'est pas hégélienne : écrire, agir, c'est s'exposer et s'en remettre sans garantie à un avenir incertain. Comme le signale l'étymologie, la tradition est une livraison, et Péguy a été livré aux bêtes par l'intermédiaire de Julien Benda, grand desservant de l'Esprit, gardien intransigeant et sourcilleux des valeurs immatérielles. « Tous les moralistes écoutés en Europe, lit-on dans *La trahison des clercs,* les Bourget, les Barrès, les Maurras, les Péguy, les D'Annunzio, les Kipling, l'immense majorité des penseurs allemands ont glorifié l'aspiration des hommes à se sentir dans leur nation, dans leur race en tant qu'elles les distinguent et qu'elles les opposent [6]. » *Les Barrès, les Maurras, les Péguy* : lorsque le livre parut, l'amalgame fut relevé et fit scandale. Même les proches de Benda, comme sa cousine Mme Simone, furent abasourdis de voir le pourfendeur de toutes les trahisons se retourner contre l'ami qu'il admirait sans réserve au temps où celui-ci était vivant et inconnu, et le trahir sans vergogne, une fois mort et couvert de gloire [7].

Rien ne reste aujourd'hui de cette stupéfaction. Souscrivant massivement au verdict de Benda, la postérité classe Péguy parmi les clercs qui ont failli à leur vocation et qui ont précipité la catastrophe européenne. Certes B.-H. Lévy suscitait encore débats et controverses quand il accusait Péguy dans *L'idéologie française* de parler la langue « ignoble » de la race et de l'instinct, d'éprouver une aversion « bestiale » à l'égard de l'Intellectuel, de démoniser l'Argent et d'être avec Barrès le fondateur du « national-socialisme à la française [8] ». Mais la vigilance et la véhémence de la riposte tenaient plus à la personnalité de l'essayiste qu'à la substance de ses propos. Tzvetan Todorov, en effet, dresse un réquisitoire moins emphatique mais tout aussi haineux dans *Nous et les autres*, l'important essai qu'il a consacré à « la réflexion française sur la diversité humaine » : il identifie pareillement Péguy à Barrès et Maurras, il leur impute le même nationalisme et, lecture faite, il prononce à leur encontre la même sentence sans appel : « Au terme de ce parcours, le nationalisme apparaît bien comme le grand responsable idéologique, tant des guerres en Europe, depuis la Révolution jusqu'à la Première Guerre mondiale comprise, que des guerres coloniales de la même période, et au-delà. Même si une guerre a des causes autres qu'idéologiques, on peut attribuer à ces doctrines, *sans risque de se tromper*, la responsabilité de la mort de millions d'êtres humains et de situations politiques dont, souvent, la solution n'est toujours pas en vue [*sic*] [9]. »

Au moment où le postéromane croit pouvoir avancer

« sans trop se tromper » que l'Histoire reconnaîtra les siens, Todorov déclare Péguy coupable de crime contre l'humanité avec la même assurance, la même formule ou presque, et l'assentiment général : mis à part quelques péguystes impuissants et marginalisés, la postérité au grand complet a accueilli cette lecture comme une contribution magistrale à la lutte contre le racisme et comme le grand retour de la morale dans la pensée.

Enfin, dans le livre par ailleurs remarquable qu'il a consacré à la naissance de l'idéologie fasciste, l'historien Zeev Sternhell a pu, sans faire aucune vague, conclure en ces termes son analyse de l'influence de Péguy sur Mussolini : « Dans leur haine féroce du socialisme démocratique et libéral, devenu partie intégrante de l'ordre établi, le directeur d'*Avanti*! et l'auteur de *Notre jeunesse* se révélaient des alliés naturels [10]. » Or, c'est précisément dans *Notre jeunesse* que Gershom Scholem a découvert, avec une émotion d'autant plus admirative que la littérature allemande ne lui avait jamais rien offert d'équivalent « les pages inoubliables où Péguy, catholique et français, a dépeint l'anarchiste juif Bernard-Lazare comme un véritable prophète d'Israël – et cela à une époque où les Juifs français eux-mêmes par embarras ou par méchanceté, par rancœur ou par stupidité, n'ont rien su faire de mieux que de traiter par le silence, un silence de mort, un de leurs plus grands hommes. C'est un Français qui, à ce moment-là, a considéré un Juif comme les Juifs eux-mêmes étaient incapables de se voir [11] ».

Ce sentiment de gratitude nous est désormais si étranger qu'il n'est même plus besoin de faire l'impasse sur *Notre jeunesse,* de passer sous silence le chef-d'œuvre du dreyfusisme, pour procéder à l'inculpation de Péguy et pour bannir son œuvre de la culture. Prenant acte de la déroute généralisée des idéologies, jurant de ne plus fouetter d'autres chiens désormais que la question du rapport à l'Autre, la postérité repentante réitère, quand elle lit Péguy – *Notre jeunesse* inclus –, non le remerciement de Scholem, mais le jugement de Benda. À l'heure des comptes et des grandes résolutions morales, au moment où sur les décombres conjugués du fascisme, du communisme et de la colonisation, la jeunesse devient antiraciste et l'antiracisme devient la jeunesse du monde, *Notre jeunesse* est annulé, *Notre jeunesse* est retiré du monde. Pourquoi l'esprit du temps a-t-il ainsi opté pour Benda plutôt que pour Scholem ? Pourquoi cet acharnement, cette partialité contre Péguy ? Pourquoi cette incompatibilité entre *Notre jeunesse* et l'actuelle jeunesse du monde ? Il y a là, tout ensemble, une injustice qui doit être combattue et un paradoxe qu'il faut éclaircir.

CHAPITRE PREMIER

L'amitié du sédentaire et du Juif errant

Lorsque, le 17 juillet 1910, Péguy publie *Notre jeunesse,* chacun spécule sur l'imminence de son ralliement au parti de la réaction. N'a-t-il pas, depuis longtemps, rompu avec les socialistes, frères d'armes de son combat dreyfusard ? Son *Mystère de la charité de Jeanne d'Arc,* paru au début de l'année, n'a-t-il pas déconcerté, déçu, rebuté même les patriotes républicains qui faisaient cercle autour de lui et des *Cahiers de la Quinzaine* ? Plongés dans un climat de veillée des armes, ceux-ci attendaient, à l'instar de Maurice Reclus, une « Jeanne guerrière et populaire [1] », et voici qu'au lieu de l'héroïne glorifiée par les tableaux muraux de la laïque, Péguy révèle, au travers d'un long débat théologique, son propre retour à la foi. D'où, en revanche, la jubilation de ses anciens adversaires. S'employant depuis quelques années à la récupération de Jeanne d'Arc, les antidreyfusards ont accueilli comme une divine surprise l'œuvre que Péguy lui a consacrée. Tandis que Maurice Reclus s'ouvrait à Péguy de son désappointement, ceux pour qui la petite bergère de Domrémy symbolisait la sainteté par opposition au matérialisme, la simplicité par opposition à l'intellectualisme, la tradition national-religieuse par opposition à la République et la sédentarité par opposition aux Juifs [2], ceux-là fêtaient à grand bruit le retour de l'enfant prodigue : « Voilà le vrai mouvement, le véritable patriotisme français, écrivait Georges Valois dans *L'Action française.* Patriotisme qui ne pose pas de conditions à la France, qui n'est point une idéologie construite avec les Droits de l'homme, qui ne vient pas des nuées, mais de la terre, on oserait dire de la chair [...] Quelles que soient ses destinées, son œuvre demeurera une œuvre purement française, écrite par un Français authentique. Péguy est un Français. Je le salue. Le soldat Valois salue le lieutenant Péguy [3]. »

Même enthousiasme débordant chez Barrès (à cette réserve stylistique près : « Quand Péguy fait son prêche, il se peut que je regarde ma montre... C'est en dépit de son ronron, pour la qualité de son âme qu'il faut admirer Péguy [4] »), chez Pierre Lasserre, chez Henri Massis et chez Drumont qui intitulait significativement son compte rendu de *La Libre Parole* : « La Jeanne d'Arc d'un ancien dreyfusard. » Quant à Georges Sorel, esquissant la fusion du nationalisme et du socialisme qui, selon la définition donnée deux décennies et une guerre plus tard par Georges Valois, constituera « la grande originalité du fascisme », il publiait pour l'occasion son premier article dans *L'Action française* : « On se ferait une idée très imparfaite de la valeur que la postérité attribuera au *Mystère de la charité de Jeanne d'Arc* si on se bornait à examiner ce livre suivant les procédés de la critique littéraire; il n'est pas douteux, en effet, que cette œuvre magnifique est destinée à occuper une place éminente dans l'histoire générale de notre pays; dans vingt ans le nom de Péguy sera inséparable de la renaissance du patriotisme français [...] La révolution dreyfusienne avait mis tout sens dessus dessous en France : les amis des traditions se croyaient tenus de s'excuser très humblement de ne pas être au niveau de leurs adversaires lorsqu'ils se permettaient quelques timides esquisses de défense; l'armée semblait résignée à recevoir sans protester toutes les immondices dont l'accablait la démocratie; l'Université pataugeait dans la sentine fétide de l'humanitarisme et quelques-uns de ses maîtres raisonnaient comme des déments de Bicêtre [...] Et voici qu'un ancien dreyfusard revendique pour les idées patriotiques le droit de diriger la pensée contemporaine [5]. »

Six mois plus tard, les recruteurs en sont pour leurs frais : Péguy n'est pas un transfuge. Il s'est modifié mais il est resté le même. Répliquant aux innombrables nouveaux amis qui se réjouissaient de sa conversion et à la poignée de fidèles qui s'en alarmaient, il proteste de la constance et de la cohérence de son cheminement intérieur. L'homme nouveau en lui n'a pas tué le jeune homme, le catholique qu'il est (re)devenu assume les engagements de sa période mécréante et rejette violemment l'étiquette d'*ancien* dreyfusard, bien qu'elle fût alors un passeport pour la célébrité : « Non seulement nous n'avons rien à regretter. Mais nous n'avons rien fait dont nous n'ayons à nous glorifier. On peut commencer demain matin la publication de mes œuvres complètes. On pourrait même y ajouter la publication de mes propos, de mes paroles complètes. Il n'y a pas, dans tous ces vieux cahiers, un mot que je changerais [6]... »

L'occasion de lever l'équivoque a été fournie à Péguy par l'*Apologie pour notre passé* que Daniel Halévy, l'un de ses plus anciens collaborateurs, venait de publier dans les *Cahiers de la Quinzaine.* « D'où vient, demandait Halévy, qu'ayant été si heureux de notre dreyfusisme, et mieux qu'heureux, si fiers, d'où vient qu'il nous inspire aujourd'hui un mouvement si faible [7]? » La réponse d'Halévy n'est pas absolument claire. Car il alterne en permanence entre la position de plaignant et celle d'accusé. S'il est sévère avec lui-même et avec l'illusion lyrique de ses jeunes années, il veille aussi à ne jamais disculper les antidreyfusards. Ce qui se dégage néanmoins de cette oscillation, c'est le mélancolique constat de la fragilité du monde humain : « Voici telles institutions, cette armée, cette Église avec toutes leurs tares. Pourtant elles existent : si peu de choses existent! Et parce qu'elles existent, elles sont vénérables [8]! » Sans doute les antidreyfusards sont-ils les premiers responsables de la débâcle de ces institutions puisqu'il leur incombait à eux, conservateurs, de les défendre et qu'ils les ont déshonorées. Mais le tort des partisans de Dreyfus est d'avoir vaincu *le cœur léger* et, imbus qu'ils étaient de la justesse de leur cause, de n'avoir pas su évaluer le prix de la stabilité. *Si peu de choses existent :* si peu de choses résistent à l'érosion du temps, si peu d'œuvres, de formes et de structures échappent au jeu incessant du naître et du mourir. *Et parce qu'elles existent, elles sont vénérables :* vivant plus longtemps que la vie, ces choses abritent la succession des générations, offrent un séjour aux mortels que nous sommes, et sans le miracle de cette permanence, pour parler encore la langue d'Hannah Arendt, nulle civilisation n'émergerait du cycle de la nature.

« Êtes-vous pour la vague ? Êtes-vous pour la digue ? » demandait Célestin Bouglé au plus fort de l'Affaire. Sans état d'âme, Halévy avait alors choisi la vague, et tout se passe maintenant comme s'il découvrait que cette belle métaphore devait être prise au pied de la lettre. Nous nous croyions portés par l'élan du progrès, dit-il en substance, mais qui sait si, victimes d'un quiproquo fatal, nous n'avons pas déchaîné les éléments en voulant combattre les préjugés ? Peut-être les digues que nous avons rompues dans l'euphorie étaient-elles les barrières de la civilisation et non, comme nous l'avons superficiellement pensé, les remparts de l'ordre ; peut-être avons-nous contribué à engloutir sous la mer le monde dans ce qu'il a d'humain, c'est-à-dire de durable.

Aimer ce qui existe parce que cela existe ; déduire la valeur de l'existence : cette attitude antirationnelle suscitait, à l'époque de sa jeunesse militante, la colère ou les ricanements de Daniel Halévy. Mais, dit aujourd'hui Halévy l'ancien à Halévy le jeune, la raison ne se limite pas à avoir raison, la raison excède les frontières du rationnel. Sauf à mettre en péril l'humanité du monde, il faut équilibrer, *au sein même du concept de raison*, l'esprit de méthode par la sainte prudence, la volonté de rationaliser les choses par la compréhension de ce qu'il y a de précieux, d'inestimable dans le seul fait de leur longévité. Avec le temps, Halévy est donc devenu un dreyfusard au cœur lourd. Ce n'est pas son engagement qu'il répudie, c'est son exultation devant les ruines. Pour le dire, cette fois, dans les termes de Max Weber, il regrette, au nom de la morale de responsabilité, de n'avoir écouté que les arguments de la morale de conviction lorsqu'il s'est lancé à corps perdu dans l'Affaire.

Péguy, lui, en a gros sur le cœur, mais il n'a pas le cœur lourd : « J'avoue que je ne me reconnais pas du tout dans le *portrait* qu'Halévy a tracé ici même du *dreyfusiste.* Je ne me sens nullement ce poil de chien battu. Je consens d'avoir été vainqueur, je consens (ce qui est mon jugement propre) d'avoir été vaincu (ça dépend du point de vue auquel on se place), je ne consens point d'avoir été battu. Je consens d'avoir été ruiné (dans le temporel, et fort exposé dans l'intemporel), je consens d'avoir été trompé, je consens d'avoir été berné. Je ne consens point d'avoir été mouillé. Je ne me sens point ce poil de chien mouillé [9]. » Honteuse est, selon Péguy, la honte de son collaborateur. Honteuse et fallacieuse, car elle traite les victimes en coupables et décrie la *mystique* dreyfusiste au lieu de s'interroger sur sa dégradation en *politique* indifférente : « Atteignant donc à des réalités profondes, seules importantes, je prétends que *tous* les dreyfusistes mystiques sont demeurés dreyfusistes, qu'ils sont demeurés mystiques, et qu'ils sont demeurés les mains pures [10] ». Alors que nationalistes et cléricaux tiennent pour acquise son abjuration, Péguy riposte par la fierté à la pénitence et par un véritable chant de gloire à l'*Apologie pour notre passé.*

Mais n'abandonnons pas trop vite Halévy : où est la différence, en effet, entre la pureté dont Péguy continue de s'enorgueillir et la morale de conviction ? « Le partisan de cette morale, dit Max Weber, ne se sent responsable que de veiller sur la flamme de la pure doctrine afin qu'elle ne s'éteigne pas [11]. » Ce virtuose de la bonté *acosmique* veut agir au plus près de ses valeurs sans se soucier des conséquences : ce que l'intention devient dans le monde et les dégâts qu'elle peut provoquer, cela n'est pas son affaire. Or, c'est l'affaire d'Halévy, d'où sa tristesse, son malaise et le remords qui s'interpose entre ce qu'il est et ce qu'il fut. Péguy lui fait grief de cette déploration, mais en se contentant, semble-t-il, d'inverser les signes. L'un demande des comptes à sa pureté juvénile; l'autre pousse la logique de la pureté jusqu'à définir et célébrer comme mystique toute cause pour laquelle des hommes sont prêts à faire le sacrifice de leur vie. Vient alors à l'esprit la redoutable objection de Nietzsche : « La conclusion tirée par tous les imbéciles qu'il doit bien y avoir quelque chose de vrai dans une cause pour laquelle quelqu'un accepte de mourir (ou bien même qui, comme le christianisme primitif, provoque des épidémies de suicides), cette conclusion a constitué un obstacle considérable à l'examen, à l'esprit d'examen et de prudence [...] Les martyrs ont fait tort à la vérité. Maintenant encore il suffit d'une persécution un peu rude pour donner un renom de respectabilité au plus banal des sectarismes [12]. » Certes le dreyfusisme n'est pas un sectarisme. Mais le sanctifier par la disponibilité à mourir comme paraît le faire Péguy (« nous fussions morts pour Dreyfus »), n'est-ce pas l'aligner sur les égarements que le sacrifice a rendus vénérables et que le sang a transformés en vérité ? Bref si l'on donne facilement son cœur à *Notre jeunesse,* on a plus de mal à lui donner raison et à faire sienne aujourd'hui l'opposition entre mystique et politique qui en est le leitmotiv.

Il faut lire mieux cependant, et, pour entendre le mot certes lourd et louche de « mystique » au sens exact dont le revêt Péguy, faire un détour par *Le dialogue de l'histoire et de l'âme charnelle.* Dans ce texte posthume, en effet, Péguy reproche aux catholiques de son temps ou plus précisément aux clercs, aux « fondés de pouvoir de l'éternel », d'avoir commis une « faute de mystique [13] » en méprisant le temporel et en délaissant la création. Pourquoi une faute de *mystique* ? Parce que ce qui définit l'opération mystique ce n'est pas, comme il est dit communément, l'immédiateté du contact avec le ciel, c'est le fait, pour l'âme, de garder les pieds sur terre. *Et homo factus est* : Jésus ne s'est pas retiré du monde, il y est entré, il s'y est aventuré, il a assumé « loyalement et sans tricherie » tous les prédicats, toutes les limitations de la condition humaine. « Jésus même a été charnel, Jésus a été un martyr, un juste et un saint, non un ange [14]. » À jouer la règle contre le siècle, à destituer l'ici-bas, à perpétuer le dualisme métaphysique de la chair et de l'esprit, les clercs modernes nient, au lieu de le méditer, le mystère de l'Incarnation, c'est-à-dire de l'inscription du spirituel dans le charnel. Ils prennent, tel est leur contresens et telle est leur impiété, *le plus grand des saints pour le premier des anges.* Ce qui conduit ces dévots à séparer la dévotion du dévouement, et à ériger en modèle la désincarnation plutôt que le désintéressement et le détachement du monde pour l'amour de Dieu plutôt que le détachement de soi pour l'amour du monde.

Escapisme hérétique, désastreuse acosmie à quoi Péguy oppose inopinément la figure du *père de famille* : « Il n'y a qu'un aventurier au monde, et cela se voit très notamment dans le monde moderne : c'est le père de famille. Les autres, les pires aventuriers ne sont rien, ne le sont aucunement en comparaison de lui [15]. » Cette assertion est délibérément et doublement provocatrice, puisqu'en guise de sainteté elle fait l'éloge de l'aventure et qu'en guise d'aventurier elle semble choisir M. Prudhomme. Péguy le sait : nul n'est, en apparence, plus pantouflard, plus (petit-)bourgeois que le père de famille. Il sait aussi que les libertins, les bambocheurs, les explorateurs, les brûleurs de chandelles par les deux bouts, tous ceux qui revendiquent pour eux l'aura de l'aventure, daubent à l'infini sur ce lourdaud engoncé et pusillanime. Mais il connaît également, pour en avoir lui-même fait l'épreuve, l'étrange particularité, la désappropriante propriété dont est pourvu le père de famille : « Les autres ne souffrent qu'eux-mêmes. *Ipsi.* Au premier degré. Lui seul il souffre d'autres. *Alii patitur* [16]. » Lui seul, autrement dit, déjoue les contraintes de la finitude : *son être déborde son moi.* Et ce que lui vaut cette prouesse ontologique, ce n'est pas un pouvoir accru, c'est une vulnérabilité plus grande. Il *souffre* d'autres, qu'on appelle à tort les siens, car ils ne sont pas à lui, mais lui à eux : il n'est pas leur possesseur, il est leur possession, il leur appartient, il leur est livré, il est, risque même Péguy, leur « otage [17] ». Pour le dire d'une autre métaphore, ce chef de famille n'est pas un *pater familias,* mais un roi déchu qui a fait, en fondant un foyer, le sacrifice de sa liberté souveraine. Avant d'avoir charge d'âmes et de corps, il était seul maître de sa vie; le voici désormais assujetti, dépendant, privé de la possibilité de trouver refuge en lui-même : le confort du quant-à-soi lui est définitivement interdit.

Ainsi le bourgeois n'est pas celui qu'on pense : littéralement et constamment *hors de lui,* le père de famille mène l'existence à la fois la plus aventurière et la plus engagée qui se puisse concevoir. D'une part, il est exposé à tout et le destin, pour l'atteindre, n'a pas besoin de tireurs d'élite, il lui suffit de frapper au hasard dans l'un quelconque de ses *membres* : « C'est lui, mon ami, qui les a, et lui seul, les *liaisons dangereuses* [18]. » D'autre part, il est responsable de tout, et même de l'avenir, même du monde où il n'entrera pas : « Il est assailli de scrupules, bourrelé de remords, d'avance, [de savoir] dans quelle cité de demain, dans quelle société ultérieure, dans quelle dissolution de toute une société, dans quelle misérable cité, dans quelle décadence, dans quelle déchéance de tout un peuple ils laisseront [*sic*], ils livreront, demain, ils vont laisser, dans quelques années, le jour de la mort, ces enfants dont ils sont, dont ils se sentent si pleinement, si absolument responsables, dont ils sont temporellement les pleins auteurs. Ainsi rien ne leur est indifférent. Rien de ce qui se passe, rien d'historique ne leur est indifférent [19]. » *Bourrelé* de remords, dit Péguy, et il donne à entendre dans ce participe à la fois le tourment et la graisse. Car les moqueurs ont raison : le père de famille est gros. Il est même deux fois trop gros : trop gros, trop gauche pour décoller du monde, et trop gros pour y évoluer avec quelque chance de succès. Trop gros pour monter au ciel et trop gros pour la course, le concours et la concurrence, c'est-à-dire pour la loi *politique* du temporel. Trop gros pour fuir, trop gros pour gagner. Bref, il est handicapé. Mais, ajoute aussitôt Péguy en réponse au sarcasme des sveltes, c'est précisément cette double entrave, cette maladresse et cette adhérence ontologiques qui condamnent le père de famille à l'aventure et qui font la valeur *mystique* de sa vie.

On le voit : quand Péguy parle de mystique, il ne prend pas le parti de la foi contre les œuvres, ni de la morale de conviction et de sa pureté de cœur contre le souci d'efficience inhérent à la morale de responsabilité. Il défend la responsabilité pour le monde face à la double tentation du carriérisme et de l'angélisme, du pur intérêt et de la pure spiritualité.

Assurément nous ne pouvons plus idéaliser le père de famille avec la même évidence et le même aplomb que Péguy, car entre lui et nous il y a eu Himmler qui n'était ni un bohème comme le fut Goebbels, ni un criminel sexuel comme Streicher, ni un fanatique perverti comme Hitler, ni encore un aventurier comme Göring, mais précisément « un bon père de famille fidèle à sa femme et soucieux d'assurer un avenir convenable à ses enfants [20] ». Plus généralement, nous savons aujourd'hui que les machines totalitaires ont trouvé leurs exécutants les plus dociles chez ces bourgeois respectables et rangés qui assouvissaient sur les proches leur amour du prochain et qui n'éprouvaient depuis longtemps de scrupule ou de responsabilité qu'à l'endroit du cercle familial. Tout à la beauté de son paradoxe et aux difficultés de sa situation personnelle, Péguy a célébré la sortie du quant-à-soi par le père de famille sans s'interroger sur les redoutables potentialités du quant-à-nous domestique. Il n'a pas pensé la contradiction entre le souci bourgeois des siens et le souci civique du monde. Il n'a pas vu, comme le dit Hannah Arendt, « le grand criminel [21] » qui dormait dans le grand aventurier du monde moderne. Il n'a pas vu, et en même temps, avec le concept d'*otage*, il a lui-même donné la clé de ce phénomène. C'est précisément en tant qu'il « souffre d'autres » que le père de famille est plus facile à tenir et à contrôler que celui qui n'engage que soi lorsqu'il s'engage dans le siècle. Quand bien même il n'irait pas aussi loin dans l'obéissance et le zèle bureaucratiques que les cas extrêmes ou extrêmement ordinaires médités par Hannah Arendt, sa famille est son point faible, sa famille est sa prison. Elle le bloque, elle l'inhibe, elle l'enchaîne, elle lui met – c'est Péguy qui parle – « les menottes aux poings, les entraves aux pieds [22] », elle le retient, au nom de ce qu'il doit aux siens de répondre aux sollicitations du dehors et de faire son affaire de l'injustice dans la cité. Elle est la petite raison d'État intérieure, l'*immoral surmoi* qui combat ses bons mouvements et qui le rappelle à l'ordre quand il est tenté par la révolte, voire simplement par la générosité. Elle le déloge, c'est vrai, de sa souveraineté, mais pour le faire marcher droit, non à l'aventure, et si elle l'expose ce n'est pas seulement aux rigueurs du sort, c'est aussi et surtout au chantage des puissants. Si votre vie ne vous appartient pas – définition péguyste du père de famille –, comment la mettre en jeu quand les circonstances, quand les sombres temps l'exigent ? Comment être père de famille et résistant ? Il y en eut certes, mais ce fut au mépris et non en vertu de leur condition.

La description même du père de famille par Péguy nous empêche de souscrire à ses conclusions, aussi profondes et séduisantes soient-elles. Reste l'essentiel, à savoir que le désastre, pour lui comme d'ailleurs pour Hannah Arendt, se définit par la disparition du *pro mundo* dans le *pro domo,* de l'amour du monde dans le souci de soi, de la vertu publique c'est-à-dire de la politique au sens qu'Arendt a contribué à rendre à ce terme, dans le calcul intéressé et le mouvement égoïste de la vie, c'est-à-dire la politique au sens de Péguy.

Ce long détour par l'incarnation et par le père de famille ayant permis de clarifier le sens du mot « mystique », nous voici maintenant en mesure de lire *Notre jeunesse* et de comprendre, dans toute son ampleur, la polémique menée par Péguy contre Halévy aussi bien que contre les antidreyfusards. Ceux-ci, concède-t-il à l'auteur de l'*Apologie pour notre passé*, avaient le souci de la cité, ils pensaient au monde avant de penser à Dreyfus. Et Péguy, comme Halévy, présente leur argumentation sous son meilleur jour : « [...] le premier devoir, le devoir étroit d'un peuple est [...] de ne pas s'exposer pour un homme, quel qu'il soit, quelque légitimes que soient ses intérêts ou ses droits. Quelque sacrés même. Un peuple n'a jamais le droit. On ne perd point une cité, une cité ne se perd point pour un [seul] citoyen. » C'était, conclut même Péguy, « le langage de la raison [23] ». Mais face à cette sagesse et à ce réalisme, il refuse d'avoir été un officiant de l'idée pure. Face à ces défenseurs de la société, il n'admet pas que son action ait été antisociale ni que le dreyfusisme doive être situé au-dessus ou au-delà de la réalité. La pureté dont il se réclame n'est pas métaphysique. S'il a été et si, avec quelques-uns, il est resté pur, ce n'est pas au sens où, habitant une région suprasensible, il se se serait livré à l'exercice de la raison « hors de toute attention à ses conséquences temporelles [24] », ce n'est pas au sens d'une âme déliée de son enveloppe corporelle ni de Kant qui a les mains pures mais qui n'a pas de mains. Comme leurs vrais adversaires, les vrais dreyfusards plaçaient plus haut que tout le souci du monde, mais ce qui fait la pureté de leur position, c'est que par monde, ils entendaient *tout le monde* : « Et nous que disions-nous. Nous disions une seule injustice, un seul crime, une seule illégalité, surtout si elle est officiellement enregistrée, confirmée, une seule injure à l'humanité, une seule injure à la justice et au droit, surtout si elle est universellement, légalement, nationalement, commodément acceptée, un seul crime rompt et suffit à rompre tout le pacte social, tout le contrat social [25]. » Catholicité du dreyfusisme : la cité n'est pas la cité, la cité n'est même pas instituée si des citoyens sont traités inciviquement; la société manque à sa vocation tant qu'il y a des hommes dehors. Ce qui veut dire que la justice ne s'oppose pas à la préservation sociale comme l'idée au réel, mais comme le tout au fragment.

Péguy ne se reconnaît donc nullement dans le portrait du dreyfusard en clerc que dépeignent Halévy avec contrition et Benda avec orgueil. Le mépris du clerc pour le corps, pour l'ici-bas, pour la condition spatio-temporelle de l'humanité, ne lui agrée pas davantage dans l'ordre laïque que dans l'ordre religieux. Toute sa démonstration vise, au contraire, à faire la preuve que ceux qui à la stabilité ont préféré la justice n'ont jamais trahi la chair du monde pour le monde sans chair, sans espace et sans temps de l'esprit.

Ni la France pour les Juifs, ajoute-t-il, à l'adresse,

cette fois, de ceux qui ont hâte de le voir rallier la cause du nationalisme intégral. Il y a bien eu, reconnaît Péguy, une *politique juive* : « Pourquoi le nier. Ce serait le contraire au contraire qui serait suspect [26]. » Mais cette politique n'est pas, comme le répète inlassablement la propagande antisémite, expansive, tortueuse ou tentaculaire. Elle est modeste, banale et cousue de fil blanc : « Toute la politique d'Israël est de ne pas faire de bruit dans le monde (on en a assez fait), d'acheter la paix par un silence prudent [27]. » Volonté de survivance donc, et non volonté de puissance. Ce n'est pas à *subvertir* l'ordre des choses que ces « bons et endurants enfants de la vie », comme les appelle Thomas Mann, emploient leurs ruses et leurs stratagèmes, c'est à *subsister,* c'est à se maintenir « à travers toutes les vagues de tous les âges [28] ». Loin de conspirer contre les autres nations, ils n'ont qu'un seul désir, se conserver parmi elles : « Ils ont tant fui et de telles fuites qu'ils savent le prix de ne pas fuir. Campés, entrés dans les peuples modernes, ils voudraient tant s'y trouver bien [29]. »

Un tel vouloir-vivre n'a rien de spécifiquement ou de dangereusement juif. À promouvoir la vie au rang de souverain Bien, la politique juive ne révèle pas l'essence maléfique du judaïsme, mais l'essence biopolitique de la politique elle-même : « Je connais bien ce peuple, écrit encore Péguy. Il n'a pas sur la peau un point qui ne soit pas douloureux, où il n'y ait un ancien bleu, une ancienne contusion, une douleur sourde, une cicatrice, une blessure, une meurtrissure d'Orient ou d'Occident [30]. » Avec l'excuse de cette mémoire toujours à vif que les autres n'ont pas, les Juifs sont comme les autres : « La grande majorité des Juifs est comme la grande majorité des [autres] électeurs. Elle craint la guerre. Elle craint le trouble. Elle craint l'inquiétude. Elle craint, elle redoute plus que tout peut-être le simple dérangement [31]. » Et cette peur des coups si ordinaire, cette peur des coups juste un peu plus normale que la normale – « ils en ont tant reçus [32] » – les a conduits à tout faire pour étouffer l'Affaire : « Les politiciens, les rabbins, les communautés d'Israël, pendant des siècles et des siècles de persécutions et d'épreuves, n'avaient que trop pris l'habitude, politique, le pli de sacrifier quelques-uns de leurs membres pour avoir la paix, la paix du ménage politique, la paix des rois et des grands, la paix de leurs débiteurs, la paix des populations et des princes, la paix des antisémites. Ils ne demandaient qu'à recommencer. Ils ne demandaient qu'à continuer. Ils ne demandaient qu'à sacrifier Dreyfus pour conjurer l'orage [33]. »

Les antisémites sont donc deux fois dans l'erreur : d'abord, lorsqu'ils dénoncent et pourchassent l'altérité là où prévaut la ressemblance; ensuite lorsqu'ils prétendent que l'affaire Dreyfus a été montée de toutes pièces par le parti juif, ou le *syndicat* comme ils disent pour terrifier les populations, dans le dessein d'affaiblir et de conquérir la France. « Il ne faudrait pas beaucoup me pousser pour me faire déclarer ce que je pense, que l'affaire Dreyfus, dans la mesure où elle fut montée, fut montée *contre* le parti juif [34]. »

Mais Péguy n'en reste pas là, c'est-à-dire à cette

réhabilitation critique de la politique juive. S'il exonère celle-ci de toute responsabilité dans les déclenchements de l'Affaire, c'est pour impliquer et acclamer à sa place « la mystique juive [35] ». Mystique juive! Par cette seule association, par ce seul télescopage de mots, Péguy jette la perturbation dans l'affrontement canonique des modernes avec les antimodernes et s'affirme comme un dreyfusard atypique, un penseur intempestif, le membre unique ou quasi unique du grand « parti des mécontemporains [36] » qu'il appelait parfois de ses vœux.

Pour la plupart des dreyfusards, l'Affaire se résume au combat mené par les lumières de la raison contre les obscures poussées de l'instinct et contre toute mystique (Benda parle de « mysticité »), qu'elle fût du ciel, du sang ou de la terre. Méthode et non mystique, universelle et non locale : la Raison, c'est sa gloire, n'est plus ni juive ni grecque, même si Juifs et Grecs ont contribué à son avènement, et c'est la gloire du monde moderne, dans la mesure où il se donne pour seul idéal la Raison, d'avoir permis aux hommes de transcender leurs déterminations particulières.

Quant à ceux qui défendent contre Dreyfus l'intérêt de la France et l'honneur de l'armée, tous les reproches qu'ils adressent aux Juifs convergent et culminent dans cette accusation : le judaïsme est une antimystique. Formalisme, légalisme, ritualisme, pharisaïsme, intellectualisme, nomadisme, matérialisme – autant d'avatars d'une seule et même inaptitude aux sentiments élevés. Irrévocablement charnel, le Juif est celui qui ne sait pas décoller de la réalité tangible, qui s'en tient à la lettre et qui à l'amour persiste à préférer la loi. L'argument est connu et ressassé depuis les débuts de l'ère chrétienne, il n'a donc rien de nouveau, si ce n'est, détail essentiel, que l'étroitesse juive ne témoigne plus comme autrefois d'une coupable fixation sur un stade *révolu* de l'histoire humaine : elle façonne l'histoire *présente.* Juif, pour les antidreyfusards, ne veut plus dire fossile, juif veut dire moderne. Avec une sainte terreur, ils voient la religion de l'intérêt s'emparer du monde et la froideur calculatrice du Juif charnel devenir, au détriment de toute mystique, la norme suprême de la vie.

Un homme a fait les frais de ces deux discours : Bernard-Lazare. Aux yeux de l'État-major dreyfusiste, le pionnier de la campagne de révision, l'homme qui dénonça la version officielle des faits dès juillet 1895 (c'est-à-dire à un moment où tout le monde dormait encore), risquait, en occupant le devant de la scène, de « particulariser » ou d'« ethniciser » l'Affaire. Il était du plus mauvais effet qu'un Juif défendît un Juif et qu'il insistât, par surcroît, sur la motivation antisémite de ses juges. Aussi, ceux-là mêmes que Bernard-Lazare avait réveillés de leur indifférence lui firent-ils comprendre, sans trop de manières, qu'il devenait encombrant et qu'il était temps pour lui de laisser la place à des personnalités plus universelles, plus convaincantes dans le rôle de la Raison. Du point de vue des antisémites, tout était clair, c'est-à-dire occulte : anarchiste sans le sou, journaliste bohème, Bernard-Lazare ne pouvait qu'être employé et stipendié par le « Syndicat ». Résultat : Bernard-Lazare est en 1910 le héros méconnu d'une affaire mondialement célèbre. Et Péguy, qui projetait depuis la mort de son ami de réparer cette injustice, saisit enfin l'occasion de le faire dans sa réponse à Daniel Halévy. Plaidoyer pour le dreyfusisme, réquisitoire contre sa dégradation, *Notre jeunesse* est aussi et surtout le *coup de théâtre* qui renverse les hiérarchies admises et qui confère le premier rôle à celui que chacun jusqu'alors tenait pour un comparse ou un figurant.

Alors que la froideur calculatrice qu'ils faisaient pourtant profession d'exécrer conduisait les antidreyfusards à sacrifier allègrement le prisonnier de l'île du Diable aux intérêts supérieurs de la nation, et alors que la majorité des Juifs s'étaient résolus à faire de même pour préserver leur précaire tranquillité, c'est Bernard-Lazare, rappelle Péguy, qui a cassé le jeu et qui a défié le peuple en même temps que la raison d'État, la foule en même temps que le gouvernement, l'opinion en même temps que le pouvoir. Ce geste *prophétique,* au sens précis que la Bible a donné à ce mot, attestait contre les modernes que le judaïsme bougeait encore, que sa mission n'était pas finie, et contre les antimodernes que cette mission consistait non pas à instaurer mais à interrompre le règne de la pensée utilitaire. Et l'ignorance même dans laquelle Bernard-Lazare a été tenu par les siens, ce silence de mort qui a tant frappé Gershom Scholem, apparaît à Péguy comme une preuve supplémentaire de son élection : « Israël passe à côté du Juste et le méprise. Israël passe à côté du prophète, le suit et ne le voit pas. La méconnaissance des prophètes par

Israël et pourtant la conduite d'Israël par les prophètes, c'est toute l'histoire d'Israël [...]. Quand le prophète passe, Israël croit que c'est un publiciste. Qui sait, peut-être un sociologue [37]. »

Bernard-Lazare, il est vrai, avait rompu avec le Très-Haut. Fils de son temps au moins autant que de ses pères, il baignait dans le positivisme ambiant, il ne croyait qu'à la connaissance et il considérait avec fierté le judaïsme comme la première *irreligion* : « L'excellence des Juifs était selon lui, venait de ce qu'ils étaient comme d'avance les plus libres penseurs [38]. » Ce qui faisait pourtant de ce moderne un prophète, un mystique, ou, comme le dit encore Péguy, un *homme de cinquante siècles,* c'était que, tout en congédiant la foi pour le savoir, il ne donnait pas le dernier mot à celui-ci : « Je vois encore sur moi son regard de myope, si intelligent et ensemble si bon, d'une si invincible, si intelligente, si éclairée, si désabusée, si incurable bonté [39]. » Par-delà l'anecdote et la psychologie, les épithètes qui composent ce portrait nous ouvrent sur un paradoxe métaphysique proprement vertigineux : le renseignement et le désabusement n'ont-ils pas pour but ou, en tout cas, pour conséquence, de nous guérir de la bonté ? Il n'y a pas de grand homme pour son domestique, nous disent, renseignés, les moralistes, et les métaphysiciens eux-mêmes ne font pas grand cas de la pauvre bonté, puisque c'est la vision du vrai qui constitue pour eux le sommet de la vie spirituelle. Bonté sans angélisme, la bonté de Bernard-Lazare apporte un démenti à cette relégation. Au lieu d'être dissoute ou intégrée dans l'œuvre de l'intelligence, c'est elle qui est sujet et l'intelligence prédicat. Le savoir qui aurait dû se monnayer en pouvoir n'accomplit pas ses virtualités réifiantes : l'obligation envers l'autre résiste à son objectivation et le lien tissé avec le monde à l'acuité du regard posé sur son fonctionnement. Cette bonté incurable dit comme la croyance : « Je sais bien mais quand même. » À l'inverse cependant de la croyance, ce qu'elle proclame, ce n'est pas le refus d'entendre raison, c'est une entente que la raison ne réussit pas à rompre. Pour le dire dans la langue de Lévinas très proche ici de Péguy, la bonté renseignée est une bonté qui passe de la proximité à la connaissance, sans compromettre la proximité. C'est une bonté qui, dans la mesure même où elle survit au savoir et traverse inentamée l'épreuve du dévoilement, révèle une spiritualité autre que le savoir. Spiritualité prophétique. Définition juive de la vie spirituelle. Qu'est-ce que le message du Dieu de la Bible, en effet, sinon l'injonction faite à l'homme d'être le gardien de l'autre homme ? Cette injonction n'a pas été rejetée dans la préhistoire par la victoire moderne du principe de raison sur le principe d'autorité et de ce Dieu-là, nous dit Péguy, Bernard-Lazare l'incroyant fut, à son esprit défendant, le témoin et le serviteur : « Je le vois encore dans son lit, cet athée ruisselant de la parole de Dieu [39]. » Libre penseur (« même avec un trait d'union [40] »), il n'était pas libre de se dérober; mourant, il restait habité, il n'y avait en lui « pas un sentiment, pas une pensée, pas l'ombre d'une passion qui ne fût tendue, qui ne fût commandée par un commandement vieux de cinquante siècles, par le commandement tombé il y a cinquante siècles [41] ». Malgré la position de surplomb où le mettait sa perspicacité et jusque dans la maladie « féroce », « acharnée », « fanatique » qui le consuma, Bernard-Lazare était donc religieux, c'est-à-dire *relié*, endetté, responsable : « Je n'ai jamais vu un homme ainsi chargé d'une charge, d'une responsabilité éternelle. Comme nous sommes, comme nous nous sentons chargés de nos enfants, de nos propres enfants, tout autant, exactement autant, exactement ainsi il se sentait chargé de son peuple [42]. »

Père d'une famille innombrable, accablé du poids de son peuple et du monde, soutenant les Congrégations persécutées par le combisme comme il avait défendu Dreyfus, Bernard-Lazare était aussi un homme enfantin et joyeux. Sur le lit de mort de son appartement du quartier de l'Europe, il annonça un jour cette grande nouvelle à Péguy : le métro Amsterdam est ouvert! Paris vivait alors les débuts du métropolitain, seule la ligne numéro 1 était en exploitation et Bernard-Lazare éprouvait comme un « orgueil d'auteur [...] un orgueil local, un orgueil de quartier qu'il eût abouti déjà jusqu'à lui, un des premiers, qu'il eût percé jusqu'à lui, qu'il eût commencé à monter vers ces hauteurs [43]. » Fierté, exultation, enchantement que Péguy commente en ces termes : « *Être ailleurs,* le grand vice de cette race, la grande vertu secrète; la grande vocation de ce peuple. Une renommée de cinquante siècles ne le mettait point en chemin de fer que ce ne fût quelque caravane de cinquante siècles. Toute traversée pour eux est la traversée du désert. Les maisons les plus confortables, les mieux assises, avec des pierres de taille grosses comme les colonnes du temple, les maisons les plus immobilières, les plus immeubles, les immeubles les plus écrasants ne sont jamais pour eux que la tente dans le désert [...] Ils sont toujours sur le dos des chameaux. Peuple singulier. Combien de fois n'y ai-je point pensé. Pour qui les plus immobilières maisons ne seront que des tentes [44]. » C'est l'ultime affront de *Notre jeunesse* aux antidreyfusards : le vice où ils voient l'origine et la raison du grand dérèglement moderne, le tempérament vagabond qu'ils opposent à l'heureuse stabilité de l'ancienne France, le nomadisme qui nourrit leurs anathèmes contre la déloyauté juive et contre l'enjuivement de la société, Péguy ne les nie pas – beaucoup plus audacieux, beaucoup plus provocateur, il renverse l'errance en vertu. Si Bernard-Lazare se passionnait pour « tout ce qui était allées et venues, géographiques, topographiques, télégraphiques, téléphoniques, aller et retour, circulations, déplacements, replacements, voyages, exodes et deutéronomes [45] », si le métro lui était une victoire personnelle, et si, comme il en fit la confidence à Péguy, il ne commençait à se sentir chez lui que quand il arrivait dans un hôtel, ce n'était pas parce qu'il venait d'un peuple sans attaches, c'était, tout à l'inverse, parce que la mystique dont il relevait donnait depuis toujours la priorité au lien sur le lieu.

Péguy, pour autant, n'aime pas le métropolitain. En même temps que l'enthousiasme de son ami, il dit sa propre méfiance, sa propre aversion, « cette distance qu'au fond nous lui gardons toujours, même quand il nous rend les plus grands services, *parce qu'il nous transporte trop vite,* et au fond qu'il nous rend trop de services [46]... » Revêtu par Bernard-Lazare de l'antique majesté des caravanes ou des animaux du désert, le métro s'inscrit aussi, selon Péguy, dans un projet moderne de maîtrise et de mise à disposition du monde. Projet où, s'il s'agit toujours d'être mobile et de se libérer de son attache terrestre, ce n'est plus, comme dans la tradition dont procède l'auteur du *Fumier de Job,* pour accorder à l'autre homme le soin que l'on retire au lieu, c'est pour mettre au service du moi tout ce qu'on retire à la fois au lieu et à l'autre. Alors que les antisémites confondent dans un même opprobre ces deux façons d'être un étranger sur la terre, Péguy est ce sédentaire singulier qui reconnaît et qui affirme le sens positif de l'exil dans le moment même où il dénonce le monde moderne comme l'époque du déracinement.

CHAPITRE II

Le monde moderne ou la panmuflerie

La colère. Telle est, comme l'a justement souligné Jean-Michel Rey [1], la disposition d'âme de Péguy face au monde moderne. Colère effrénée, colère torrentielle, colère répétitive, colère qui ne connaît jamais d'accalmie, mais colère également dont les objets sont si nombreux, les cibles en apparence si hétéroclites que le lecteur qui a franchi victorieusement l'épreuve de la monotonie risque d'être découragé par cette disparité insurmontable. Sans jamais reprendre son souffle, Péguy met dans le même sac *moderne* l'Argent, l'Histoire, la Sociologie, la Sorbonne, le Journal, le travail du fer, l'Action française, le Parti intellectuel, Jaurès (le chef du socialisme français), Renan (l'auteur de *L'avenir de la Science*) et Fernand Laudet (le directeur de la très catholique *Revue hebdomadaire*).

D'où le malaise, le soupçon et la tentation de voir dans cette colère non un diagnostic lucide, mais un symptôme préoccupant. Sous couleur de critiquer son temps, Péguy remâcherait ses échecs temporels et réglerait inlassablement ses comptes. Sous couleur de ne pas aimer le monde moderne, il baptiserait arbitrairement moderne tout ce qu'il n'aime pas. Sa véhémence serait une pathologie de son être, et non la manière dont l'être le touche ou lui parvient. Son interminable imprécation révélerait moins le caractère mauvais de la réalité que le mauvais caractère de l'imprécateur. Péguy ne serait pas (ou pas seulement) un précurseur du fascisme, mais un esprit malade, et c'est dans les marécages du ressentiment ou de l'ambition inassouvie qu'il faudrait chercher, à la manière d'Henri Guillemin [2], les causes profondes de ses excès ou de sa fureur.

Il est d'autant plus difficile de résister à cette explication que, du sage au savant et du savant au chercheur, le détachement nous apparaît depuis toujours comme le critère de l'attitude rationnelle. Mais, précisément, sommes-nous sûrs d'avoir raison de définir la raison par l'absence d'émotion ? N'y a-t-il pas des occurrences où c'est l'insensibilité qui déraisonne, et non l'emportement ? Quand, du haut de nos désillusions idéologiques, de notre sagesse crépusculaire ou de notre clairvoyance psychobiographique, nous croyons penser Péguy, qui sait si ce n'est pas, en réalité, sa colère qui nous pense, nous et notre monde, moderne ou postmoderne ?

Dans un texte intitulé *Deuxième élégie XXX* en écho et en hommage au célèbre poème de Ronsard (« Écouste bucheron, areste un peu le bras / Ce ne sont pas des bois que tu jettes en bas / Ne vois-tu pas le sang, lequel goutte à force / Des nymphes qui vivoyent dessous la rude écorce... »), Péguy médite longuement sur la différence qui existe entre le travail du fer tel que la révolution industrielle l'a rendu possible et ce qu'était jadis le travail de la pierre et du bois. La matière ancienne, constate Péguy, avait sa solidité d'avance et se taillait « comme elle était naturellement venue au monde [3] ». Naturellement, c'est-à-dire toute seule, à partir d'elle-même et selon ses propres lois. Avant l'homme, déjà là, donnée, il y avait la matière. Matière *première*, au sens littéral du mot. Et cette primauté était une autorité. Cette origine, un pouvoir. Ce commencement, un commandement. Cette antériorité et cette extériorité obligeaient l'ouvrier à traiter avec précaution sinon même avec cérémonie cela même dont il faisait usage. La forme qu'il voulait créer était, en effet, engagée dans la matière, liée à elle par une parenté, une proximité, une co-appartenance et, dit encore Péguy, « une codestinée éternelle [4] ». Parce qu'un « geste maladroit sur cette matière ne se rattrape jamais », parce que « dans le commerce de l'homme et du bois, de l'homme et de la pierre, une injure ne s'oublie éternellement pas, rien ne s'efface », parce que « dans l'opération de l'ancienne matière, tout compte et tout compte pour toujours, tout est inexpiable, tout est impayable, tout est indéfaisable, donc tout est éternel [5] », l'homme était, en quelque sorte, tenu au respect. Le travail alors relevait de la politesse. Face au donné, face à « l'épiderme de sensibilité [6] » que la matière telle qu'elle était naturellement venue au monde présentait à l'ouvrier, le savoir-faire qu'il lui fallait déployer était une forme de savoir-vivre.

Avec le fer, et depuis qu'on sait traiter ce métal par grandes masses et l'amener à l'état liquide, tout change : c'est de matière *seconde* qu'il faudrait désormais parler pour désigner cette matière « ductile, malléable, souple, docile, interchangeable, allante et venante [7] » qui coule et se coule au lieu d'astreindre et de commander. Pour faire, inutile désormais de faire *avec,* d'avoir des égards, de passer des compromis, de répondre à des exigences extérieures à soi. Nul besoin de négocier avec le donné, puisque précisément le donné a été remplacé par le docile et qu'une substance dénuée de caractère comme de sensibilité a succédé aux inflexibles partenaires d'autrefois.

Ainsi s'éclaire l'énigmatique référence à Ronsard. Silencieuse et soumise, corvéable et manipulable, domestique et disponible, inerte et offerte, la matière moderne est une matière que toute vie propre a désertée. Le fer ou le triomphe de la volonté : l'homme composait, il dispose et il impose; il répondait, il ordonne; il socialisait, il soliloque; il accueillait, il conçoit, calcule, planifie et programme; il dépendait, il règne. Le corrélat de son activité, ce n'est plus la nature ou la réalité comme elle se livre, c'est l'opérabilité et la plasticité sans limites d'une matière sans dignité, ce n'est plus l'être en tant qu'autre, c'est l'être comme prolongement de lui-même, l'être comme service, l'être délivré de toute transcendance et de toute extériorité. Et quand la donation laisse place à la domination, quand la technique n'a plus à qui parler sur la terre, alors l'homme change de monde, ou, plus précisément, le monde change d'humanité : « Pendant des siècles, l'humanité, toutes les humanités, toutes les particulières humanités, ensemble ou séparément, toute l'entière humanité totale a travaillé une matière non seulement qui résistait, mais qui commandait, qui exigeait le respect, sous astreinte de ce chantage irrévocable que nous avons dit. Pendant des siècles toute cette entière humanité a dû travailler, a été contrainte de travailler une matière non seulement qui résistait (toutes les matières résistent, au moins un peu, même les modernes si peu que ce soit, c'est leur fonction même), mais une matière qui n'admettait pas, qui ne recevait pas qu'on lui fît la blague et qu'on n'y allât pas doucement. Une matière sérieuse. Et dans ces temps-là des humanités sérieuses respectaient. Des humanités sérieuses ne faisaient pas la blague et y allaient doucement. Elles y allaient sérieusement [...] *In illo tempore.* En ce temps-ci une humanité moderne est libre. Elle est libre de travailler une matière moderne relativement aisée, interchangeable, prostitutionnelle, qui peut servir à tout et à tout le monde, une matière putain, ce fer qui résiste peut-être bien un peu, parce qu'il ne peut pas faire autrement, parce qu'il est une matière, mais qui ne résiste que pour la frime [8]. »

Moderne veut donc dire libre, Péguy en convient. Mais, ajoute-t-il, libre du réel et non de l'autorité. On voudrait que Péguy soit dangereux parce qu'il est nostalgique, et parce que le pétainisme a frappé la nostalgie d'un discrédit irrémédiable. Pourtant ce n'est pas Dieu ou, avec Ronsard, les dieux que ce passéiste regrette, ce n'est pas l'ordre social comme manifestation terrestre du divin, c'est le commerce avec la terre, c'est le visage que les choses présentent à partir d'elles-mêmes, c'est le caractère improgrammable du donné. Et la piété qu'il invoque est « le respect absolu de la réalité, de ses mystères, le respect religieux de la réalité souveraine et maîtresse absolue, du réel comme il vient, comme il nous est donné, de l'événement comme il vient [9] ». Si un blasphème ou un sacrilège a été commis par l'esprit moderne, il tient tout entier dans son manque de manières, dans son « arrogance raide envers la réalité », dans son « insolence de parvenu militaire envers toute espèce de réalité [10] ». Une insolence qui caractérise la pratique, on vient de le voir, mais qui est aussi présente dans la théorie : la science met le donné hors jeu comme la technique moderne. La seconde n'est pas seulement la triomphante application de la première. Un identique rapport à l'être se manifeste dans les deux cas. De même que la matière est désormais tout entière définie par des calculs et par des plans, de même est-ce seulement à partir des fins, des modèles et des hypothèses élaborées par l'esprit humain que les choses prennent sens et qu'est interrogée la nature. La révélation – le fait de se donner, d'apparaître – n'est plus le mode sous lequel advient la vérité du réel. L'homme pense la vérité comme son fait et le dévoilement « comme issu de son initiative et de son comportement découvrant [11] ». Récusant la réalité telle qu'elle s'offre à nos yeux de chair, il ne cherche plus à former une raison à l'image du monde mais, selon l'expression qu'emploiera plus tard Bachelard, à construire un monde à l'image de la raison. Dans le dialogue expérimental que la science noue avec la nature, l'expérience au sens courant, c'est-à-dire le choc de l'immaîtrisable, n'a aucune part. Toute réceptivité est abolie : le réel est maîtrisé, préparé, mis en scène en fonction de l'hypothèse théorique qui guide ce qu'on appelle indifféremment la manipulation ou l'expérience. La nature n'est donc plus accueillie ou écoutée, comme l'étaient, dans l'ancien travail, la pierre ou le bois, elle est acculée, comme le fer, à répondre aux exigences de l'homme et à se modeler sur les normes de son entendement. À l'expérience « comme elle est, comme elle sort du ventre de la nature, la terreuse expérience toute pleine encore des scories et des fanges de ses gangues, mal débarbouillée, mal présentable et même imprésentable complètement devant aucun monde, nullement aseptisée, rebelle donc, rebelle aussi, rebelle même aux lois », la science moderne substitue « l'expérience comme elle n'est pas, l'expérience comme elle devrait être, l'expérience comme elle fait bien, l'expérience lavée, débarbouillée, vêtue, habillée, par les soins, par les mains des meilleurs faiseurs, aseptisée, présentable, conforme, commode, obéissante, de bonne façon, de bonne tenue, celle qui se pliera aux hypothèses, qui entre bien, qui entrera comme un gant dans la conformation des lois [12] »... Et cette substitution est une révolution. Ce coup de pouce est le coup de force ontologique qui assure à l'homme les pleins pouvoirs : « Il y aurait, je ne dirais pas tout un roman, mais tout un travail à faire, un travail qui serait immense, qui porterait sur le coup de pouce et l'influence du coup de pouce dans la formation de l'esprit moderne [13]. »

Travail immense, en effet, car les modernes font comme si de rien n'était. Comme si le mesurable et le calculable étaient coextensifs à la réalité. Comme si le vrai de la science était le seul vrai du réel. Comme si nul hiatus, nulle différence ne séparait plus le monde « cette création d'inquiétude et d'inconnaissable [14] » du monde peuplé de nombres, d'idéalités et d'équivalences qu'est l'univers mathématisé. Oublieux de leur geste fondateur, ils se vantent bruyamment d'avoir « introduit le positif dans toutes les branches de la connaissance [15] » et, en dirigeant leurs regards non plus au-delà mais à l'intérieur même de la réalité, d'avoir mis fin à l'âge métaphysique de l'aventure humaine. Avec des concepts empruntés à Bergson, un ton de familiarité en philosophie qui est son apanage et des intuitions qui annoncent Husserl, Péguy montre qu'il n'en est rien et que les modernes célèbrent les retrouvailles de l'homme avec la réalité dans le moment même où ils en consomment la rupture. Ce n'est pas pour l'ici-bas qu'ils ont abandonné l'au-delà, ce n'est pas au bénéfice de notre monde qu'ils ont perdu l'autre monde. S'il est vrai qu'ils ne vont plus chercher au ciel ni Dieu ni les Idées, ils n'ont pas, pour autant, conservé ou restitué à leur séjour sur terre son épaisseur sensible ni la plénitude de ses droits. Ils n'ont pas lâché l'ombre surnaturelle pour la proie terrestre. « Compère le coup de pouce[16] » l'atteste : ils ont lâché l'ombre pour l'ombre. Ils n'ont pas rejoint, saisi ou étreint l'être vrai, ils ont taillé « un vêtement d'idées » dans « l'infinité ouverte des expériences possibles[17] ». Tout en découvrant les propriétés mathématiques de la nature, ils ont recouvert ou négligé tout ce qui en elle échappe à la mathématisation. Et ils prennent aujourd'hui « pour l'être vrai ce qui est méthode[18] ». *Deus absconditus,* disent-ils avec fierté ou la tristesse au cœur, alors que, pour être exact, c'est d'un *mundus absconditus,* d'une occultation, d'une dématérialisation, d'un délaissement du monde sensible, qu'il faudrait parler.

Car Dieu n'a pas disparu, il a été remplacé : l'homme absous de sa finitude, dégagé des chaînes de l'expérience terrestre et qui, « au lieu d'observer les phénomènes naturels tels qu'ils lui sont naturellement donnés, place la nature dans les conditions de son entendement[19] », cet homme n'est rien d'autre que le successeur de Dieu. Il y a donc bien, inavouée mais déterminante, clandestine mais caractéristique, une *métaphysique moderne.* L'âge positif est, en fait, tout empli de religiosité : « Ce siècle qui se dit athée ne l'est point, il est autothée. Ce qui est un bien joli mot, et bien de son temps. Il s'est littéralement fait son propre Dieu et sur ce point il a une croyance ferme[20]. » Et quand l'auteur de *L'avenir de la science* affirme avec emphase que « le grand progrès de la réflexion moderne a été de substituer la catégorie du devenir à la catégorie de l'être, la conception du relatif à la conception de l'absolu et le mouvement à l'immobilité [21] », il ment ou se ment à lui-même. Ce relatif qu'il oppose à la métaphysique n'est que la voie d'accès à l'absolu, le devenir n'est qu'un devenir-Dieu, et le temps des modernes, ce temps qu'ils s'enorgueillissent d'avoir réconcilié avec la philosophie, n'est pas le temps dans sa réalité jaillissante, mal élevée, imprévisible, il est la marche de l'homme vers son propre couronnement, le temps qu'il lui faut pour se hisser jusqu'à l'omniscience et pour exercer sur les choses un pouvoir illimité.

Dernier mensonge enfin, ultime imposture que Péguy dénonce avec une colère inextinguible et une inlassable patience : penser cette progressive maîtrise comme un irrésistible progrès. Il n'est pas le premier certes à tempérer d'inquiétude l'optimisme des modernes. Renan lui-même après Tocqueville, et en même temps que Flaubert, voit avec terreur « une pambéotie redoutable, une ligue de toutes les sottises " étendre " sur le monde un couvercle de plomb [22] ». Mais, contrairement à Renan et aux autres, ce n'est pas la bêtise, ce n'est pas la tyrannie exercée par l'opinion sur l'intelligence qui suscite l'anxiété de Péguy, c'est l'intelligence moderne elle-même, et son infinie brutalité : « Ce sera un grand malheur pour l'humanité dans son âge moderne, un malheur qui ne sera peut-être pas réparé, que d'avoir eu en mains cette matière, que d'avoir été conduite par le progrès peut-être inévitable de sa technique industrielle à être libre, à être maîtresse, à tripoter librement cette matière qui se prête à tout, qui ne se donne à rien, qui se prête à tous, qui ne se donne à personne, cette matière libidineuse, sans astreinte, presque sans résistance. À ce jeu en ce temps-ci une humanité est venue, un monde de barbares, de brutes et de mufles; plus qu'une *pambéotie*, plus que la pambéotie redoutable annoncée, plus que la pambéotie redoutable constatée : une panmuflerie sans limites; un règne de barbares, de brutes et de mufles; une matière esclave; sans personnalité, sans dignité; sans ligne; un monde non seulement qui fait des blagues, mais qui ne fait que des blagues, et qui fait toutes les blagues, qui fait blague de tout. Et qui enfin ne se demande pas encore anxieusement si c'est grave, mais qui inquiet, vide, se demande déjà si c'est bien amusant [23]. »

Cette nouvelle humanité est assurément méthodique et rigoureuse. Mais en domestiquant la matière, mais en délivrant l'intelligence du tact, sa méthode réussit là où échouent l'énergie aveugle et la seule « force qui va » de la brute primitive : la volonté de puissance se déchaîne au moyen de la rigueur et sous le couvert de ses prestiges. Brute policée, barbare austère, l'homme moderne échange le scrupule envers ce qui n'est pas soi, pour l'application, la mise en œuvre scrupuleuse d'un dispositif de calculabilité totale. Rien, dès lors, ne se dérobe à sa prise, rien ne résiste, ou ne s'oppose à son action. Nulle altérité, nulle extériorité ne subsiste, et c'est tomber dans la *confusion des scrupules* que de tenir cette panmuflerie pour le stade suprême de la civilisation.

Péguy n'est pas seul alors à reprocher aux modernes de vouloir se situer en dehors de la création. Barrès aussi préconise une sortie de la métaphysique et un retour sur terre. Sur terre ou, plus exactement, à l'intérieur de la terre. Dans un roman dont le titre, *Les déracinés,* est devenu un mot du vocabulaire courant, Barrès met en scène l'illustre M. Taine et lui fait décrire, en réponse à un jeune admirateur venu s'enquérir des fins de l'existence, le platane du square des Invalides qui était le but de sa promenade quotidienne : « Combien je l'aime, cet arbre! Voyez le grain serré de son tronc, ses nœuds vigoureux! Je ne me lasse pas de l'admirer et de le comprendre... Sentez-vous sa biographie? Je le distingue dans son ensemble puissant et dans chacun des détails qui s'engendrent. Cet arbre est l'image expressive d'une belle existence. Il ignore l'immobilité. Sa jeune force créatrice dès le début lui fixait sa destinée, et sans cesse elle se meut en lui. Puis-je dire que c'est sa propre force? Non pas, c'est l'éternelle unité, l'éternelle énigme qui se manifeste dans chaque forme. Ce fut d'abord sous le sol, dans la douce humidité, dans la nuit souterraine, que le germe devint digne de la lumière. Et la lumière alors a permis que la frêle tige se développât, se fortifiât d'états en états. Il n'était pas besoin qu'un maître du dehors intervînt, le platane allègrement étageait ses membres, élançait ses branches, disposait ses feuilles d'année en année jusqu'à sa perfection. Voyez qu'il est d'une santé pure! Nulle prévalence de son tronc, de ses branches, de ses feuilles; il est une fédération bruissante. Lui-même il est sa loi, et il l'épanouit [...] En éthique surtout je le tiens pour mon maître [...] Cette masse puissante de verdure obéit à une raison secrète, à la plus sublime philosophie, qui est l'acceptation des nécessités de la vie [24]. »

Barrès donne le nom d'*intellectuels* à ces « maîtres du dehors » qui négligent l'exemple du platane et qui restent indifférents à sa philosophie. Taine ignore le mot. Mais sa présence au centre du roman de Barrès est d'autant plus légitime et sa méditation d'autant plus vraisemblable que, dans *Les origines de la France contemporaine,* il décrit la Révolution comme la violence faite à l'arbre humain au nom de l'homme en général : prendre « l'homme en soi, le même dans toutes les conditions, dans toutes les situations, dans tous les pays, dans tous les siècles » et chercher ensuite « le genre d'association qui lui convient [25] », telle est selon Taine la cause du mal dont la France est frappée. Une différence capitale sépare cependant Barrès de son « maître du dedans » : pour Taine, *le déracinement est un défaut de la race.* La destruction de la sagesse pratique par la raison pure et de la coutume, de la religion ou du préjugé par des « législateurs de cabinet [26] », n'est pas une atteinte à l'esprit de la nation, mais l'expression la plus rigoureuse et la plus inexorable du génie national. Si les Français ont cédé avec un tel entrain au vertige de la table rase, c'est que, du classicisme au jacobinisme, la table rase constitue l'un des piliers de leur tradition. S'ils ont sacrifié aussi aisément la diversité des tempéraments aux idées abstraites, c'est qu'ils ont le tempérament de l'abstraction. S'ils ont pu dire avec les jacobins : « L'histoire n'est pas notre code », c'est qu'ils étaient déterminés par leur code historique à s'enivrer de grands principes, à mépriser les leçons de l'histoire. Taine s'applique ainsi à démontrer que « Boileau, Descartes, Lemaistre de Sacy, Corneille, Racine, Fléchier, etc. sont les ancêtres de Saint-Just et de Robespierre [27] ». Pour le dire autrement : la Terreur révolutionnaire a déjà éclaté dans le *cogito* cartésien.

Il est donc stupide de ranger Taine parmi les précurseurs d'Hitler, comme le fait Tzvetan Todorov, en veine décidément de bons sentiments et d'imputations calomnieuses. Il n'est heureux ni pour « nous » ni pour « les autres » ni pour la vérité de lui attribuer une quelconque influence sur la doctrine nazie qui, précise Todorov, au cas sans doute où nous serions tentés de prendre les choses à la légère, « a conduit à l'extermination de plusieurs millions d'êtres humains, un des plus grands crimes raciaux de l'histoire de l'humanité [28] ». Racialiste puisqu'il croit à l'existence des races – « il y a naturellement, écrit-il par exemple, des variétés d'hommes comme des variétés de taureaux et de chevaux [29] » –, Taine n'est pas pour autant raciste, puisque, sous son regard de médecin, la France et l'Antifrance sont une seule et même personne, la nation fait corps avec sa maladie. Loin d'opposer la pureté de la race aux manigances de ses démolisseurs, il montre que c'est la race qui parle en eux et qui inspire leur œuvre de démolition. Choisissant l'explication par le (mauvais) génie national contre l'explication par le complot, protégé du racisme par la radicalité même de son racialisme, Taine exclut toute solution – *a fortiori* finale – au problème qu'il pose. *Les origines de la France contemporaine* est un monument mélancolique et non une construction paranoïaque.

Avec Barrès, tout change : disciple paranoïaque d'un grand penseur mélancolique, il oppose race et raison, arbre et déracinement comme la France et l'Antifrance. L'ennemi n'est plus en nous, l'ennemi désormais c'est l'autre. Le jeune homme à qui M. Taine fait l'éloge du platane et de son édifiante vitalité est l'un des sept héros du roman, l'un des sept adolescents lorrains qui ont été en quelque sorte déracinés sur place par l'enseignement dispensé au lycée de Nancy, et plus particulièrement par l'influence de M. Bouteiller, leur professeur de philosophie. Boursier lui-même, « enlevé » encore enfant « à son milieu naturel et passant ses vacances mêmes au lycée, orphelin et réduit pour toute satisfaction sentimentale à l'estime de ses maîtres », ce fils d'un ouvrier de Lille avait été transformé par l'école en « produit pédagogique », en « fils de la raison, étranger à nos habitudes traditionnelles, locales ou de famille, tout abstrait, et vraiment suspendu dans le vide [30] ». Ainsi privé de sol, c'est tout naturellement qu'il s'appliquait à faire fonctionner l'intelligence de ses élèves hors du plan des réalités, qu'il les dénaturait sous prétexte de les émanciper, et qu'il avait décidé de fonder sa conduite comme son enseignement sur l'universalité de la loi morale telle que l'avait formulée Kant.

Dans un curieux chassé-croisé, Barrès retourne ainsi contre la pensée allemande le réquisitoire que le romantisme allemand avait dressé contre la chimère française de l'homme en soi et de la raison comme faculté de penser par soi-même. *Cogito quia cogitor,* écrivait Franz von Baader, « je suis pensé, c'est pourquoi je pense; je suis voulu, c'est pourquoi, je veux; je suis agi, c'est pourquoi j'agis », et, ajoutait-il, « j'appelle révolutionnaire toute direction d'une activité qui, au lieu de partir de l'être qui la fonde, se tourne et se dresse contre lui comme s'il s'agissait d'un obstacle [31] ». L'œuvre de Barrès affirme, de même, que penser, c'est penser par les autres et que la vérité ne se situe pas au-dessus de nous ni en dedans, mais au-dessous. Aux châteaux en Espagne bâtis par la raison individuelle, cette antimétaphysique oppose la sagesse nationale ou régionale que nos ancêtres nous ont léguée; à l'orgueil délirant de la conscience souveraine, la reconnaissance des pouvoirs de l'inconscient, et *l'héritier* qui sait qu'il est la continuité de ses parents au *boursier* qui se croit son propre père. « C'est dans ses réserves héréditaires que chacun de nous doit se replier et chercher sa règle », fait-il dire à Saint-Philin, un autre ancien élève de M. Bouteiller, désormais remis de son enseignement : « Nos vignes, nos forêts, nos champs chargés de tombes qui nous inclinent à la vénération, quel beau cadre d'une année de philosophie, si la philosophie, c'est, comme je le veux, s'enfoncer, pour les saisir, jusqu'à nos vérités propres [32]. » Mais tandis que Baader et Taine dénoncent les méfaits de l'esprit cartésien, c'est au kantisme, devenu philosophie d'État sous l'égide de tous les Bouteiller-boursiers de France, que Barrès et son porte-parole imputent l'assassinat du *cogitor.*

Au kantisme et à l'esprit juif. S'il est au monde, en effet, une nation apatride, un peuple installé dans le déracinement, une race instinctivement attirée par « la région vide des généralités pures [33] », ce n'est pas, comme le veut Taine, la race gauloise, mais bien la race sémite. Alors que la raison abstraite détourne les Français de leurs réserves héréditaires, l'hérédité juive, elle, est faite d'abstractions. Leurs morts étant à la fois d'ici et d'ailleurs, ils ne peuvent leur tenir le même langage ni énoncer les mêmes commandements que nos morts, qui sont seulement d'ici. Les Juifs sont chez eux dans ces « grands mots de *toujours* et *d'universel* [34] » qui nous dissocient de nous-mêmes et de nos appartenances. Chez eux aussi dans les banques, les bourses et quand il s'agit de substituer les rapports d'argent aux liens organiques des hommes entre eux ou avec la terre. Ce qui est pour nous artificiel est naturel pour eux. Ce qui nous assèche et nous mortifie les fait vivre. Ce qui détruit notre race, à savoir la métaphysique et le trafic, conserve la leur et l'enrichit. Par tempérament et par vocation, les Juifs sont donc à l'avant-garde du combat que le calcul rationnel (sous la forme de l'intellectualisme aussi bien que du capitalisme) mène contre les qualités sensibles. *Quis fecit cui prodest* : notre défaite – le renversement moderne du *cogitor* par le *cogito,* de la stabilité par la mobilité et des laboureurs par les agents de change – est leur œuvre et leur victoire *.

Péguy, comme les jeunes Lorrains du roman de Barrès, a connu son Bouteiller. Il s'appelait M. Naudy, il était directeur de l'École normale d'Orléans et, alors que le petit Charles Péguy avait déjà été placé à l'École primaire supérieure, il le rattrapa par la peau du cou et avec une bourse municipale le fit entrer à Pâques « dans l'excellente sixième de M. Guerrier [36] ». Événement fondateur. Pied de nez miraculeux de la norme scolaire au destin social. Péguy a contracté une dette éternelle envers ses maîtres, leur sollicitude, leur « piété descendante » de tuteur et de père, « cette longue et patiente et douce fidélité paternelle, un des

* Pour être juste cependant, c'est-à-dire pour ne pas mésuser de notre « effrayante » liberté de lecteur, il faut ici mentionner que la guerre de Barrès contre les Juifs cessera dès la déclaration de guerre. Touché, ébranlé comme ne le fut jamais Maurras par le spectacle de l'Union sacrée, Barrès rangera alors et définitivement les juifs parmi « les diverses familles spirituelles de la France » au même titre que les catholiques, les protestants, les socialistes ou les traditionalistes. L'unité sera pour lui la voie d'accès à la diversité, et dans « le long cortège d'exemples » montrant qu'on ne peut plus conclure de la race de Dreyfus à sa capacité de trahir, il fera un sort particulier à celui-ci : « Dans le village de Taintrux, près de Saint-Dié, dans les Vosges, le 29 août 1914 (un samedi, le jour saint des juifs), l'ambulance du 14ᵉ corps prend feu sous le tir des Allemands. Les brancardiers emportent, au milieu des flammes et des éclatements, les cent cinquante blessés. L'un de ceux-ci, frappé à mort, réclame un crucifix. Il le demande à M. Abraham Bloch, l'aumônier israélite, qu'il prend pour l'aumônier catholique. M. Bloch s'empresse : il cherche, il trouve, il apporte au mourant le symbole de la foi des chrétiens. Et quelques pas plus loin un obus le frappe lui-même. Il expire aux bras de l'aumônier catholique, le Père Jamin, jésuite, de qui le témoignage établit cette scène [...] Le vieux rabbin présentant au soldat qui meurt le signe immortel du Christ sur la croix, c'est une image qui ne périra pas [35]. »

tout à fait plus beaux sentiments qu'il y ait dans le monde [37] ». À l'encontre de la mission prescrite par Barrès à la pédagogie – ne donner à l'élève que ce qu'il possède –, M. Naudy et M. Guerrier lui ont donné quelque chose qu'il ne possédait pas et qui, sans la divine surprise de cette bourse municipale, lui serait resté à jamais étranger et inaccessible : « Le fils de la bourgeoisie qui entre en sixième, *comme il a des bonnes et du même mouvement,* ne peut pas se représenter ce point de croisement que pouvait être pour moi d'entrer ou de ne pas entrer en sixième [...] L'étonnement, la nouveauté devant *rosa, rosae,* l'ouverture de tout un monde, tout autre, de tout un nouveau monde, voilà ce qu'il faudrait dire, mais voilà qui m'entraînerait dans des tendresses. Le grammairien qui, une fois, la première, ouvrit la grammaire latine sur la déclinaison de *rosa, rosae* n'a jamais su sur quels parterres de fleurs il ouvrait l'âme de l'enfant [38]. » Marqué à vie, constitué, *institué* pourrait-on dire, par ce premier éblouissement, le boursier Péguy rend grâce à l'école républicaine de lui avoir fait quitter son chez-soi : cela même que condamne l'héritier Barrès. Ouverture est son maître mot, le mot qui définit l'action de ses maîtres. Et c'est parce que le monde moderne met fin à ce *dépaysement* salutaire qu'il poursuit ce monde d'une haine aussi inexpiable.

Qu'est-ce, en effet, qu'être moderne, sinon penser le temps comme avancement, et l'époque actuelle comme l'époque ultime, celle où l'humanité arrivée à destination peut embrasser tout ce qui est et tout ce qui fut « dans la contemplation de sa totale connaissance [39] » ? À la différence du philosophe antique et du fils de la rempailleuse de chaises d'Orléans, le moderne *ne s'étonne pas.* Troquant la surprise pour le surplomb, pour le regard panoramique de l'observateur absolu, il ne connaît pas d'aventures : ce n'est jamais l'autre qu'il rencontre, mais partout et toujours son propre savoir. Ainsi de Taine, malgré son arbre. Avec Renan, l'auteur réactionnaire et pessimiste des *Origines de la France contemporaine* fixe cette ambition proprement moderne aux disciplines naissantes de l'histoire et de la sociologie : mettre la mouvante humanité à la raison comme il a été fait de la matière. Sur le modèle des sciences physiques, la théorie de la Race, du Milieu et du Moment transforme l'indocile réalité des événements en processus maîtrisable. Tout ce qui est, est réduit à ses causes, même cette exception, cette nouveauté, cet événement par excellence que constitue l'œuvre de génie : « Attribuer, limiter Racine au seul dix-septième siècle, enfermer Racine dans le siècle de Louis XIV, quand aujourd'hui, ayant pris toute la reculée nécessaire, nous savons qu'il est l'une des colonnes de l'humanité éternelle, quelle inintelligence et quelle hérésie, quelle grossièreté, quelle présomption, au fond quelle ignorance [40]. »

Ceux qui ne s'étonnent pas, ceux qui, dans le sillage de Taine, cèdent à la tentation de l'immodestie et se flattent de tenir l'humanité comme le monde dans le creux de la main, Péguy les appelle les intellectuels. Intellectuels : le mot de Barrès ! Le nom même que les nationalistes ont forgé pendant l'Affaire à l'encontre des dreyfusards, enjuivés, raisonneurs et kantiens! Mais si la terminologie est identique, le sens est totalement différent : de Benda jusqu'à nos jours, Péguy est d'abord la victime d'une tragique homonymie. Dans son esprit, en effet, le parti intellectuel, c'est le parti de l'absolu, et non celui de l'étranger ou de l'universel. Il ne reproche pas à ses membres d'altérer la pureté de l'identité collective mais de prétendre englober toute altérité dans l'infinité de leur savoir. Et ce qu'il oppose à ce savoir, ce n'est pas un autre savoir, le savoir d'en bas, l'infaillible savoir de la race ou de l'inconscient national, c'est la modestie du non-savoir, la nécessité de ne pas faire les malins, l'excédence du réel sur le concept, la disproportion entre la fécondité de l'être et les ressources de la théorie, l'échec du principe de causalité à se soumettre la création, la reconnaissance, enfin, qu'il y a, dans l'histoire, de l'événement c'est-à-dire de l'immaîtrisable, comme il y a du donné dans la nature. « Tout est immense, répète-t-il, le savoir excepté [41]. » Ou encore : « Nos connaissances ne sont rien auprès de la réalité connaissable, et d'autant plus, peut-être, auprès de la réalité inconnaissable [42]. » Cet anti-intellectualisme-là ne défend pas le dedans contre les menaces ou les agressions du dehors, mais la transcendance même du dehors contre le règne de l'âme fermée. Alors que Barrès recommande aux déracinés d'abandonner le *cogito* pour le *cogitor* et de suivre leur instinct, Péguy affirme : « Il ne faut rien se proposer, il ne faut pas faire de plan, il faut suivre des indications [43]. »

L'homme qui fait des plans croit pouvoir tirer la vérité de son propre fonds et plier la réalité à ses modèles. L'homme qui suit des indications subordonne sa pensée au visage que présentent les choses et les événements. Celui qui fait des plans trace sa route, celui qui suit des indications demande à la réalité qu'elle lui montre le chemin. Celui qui fait des plans décide de tout, celui qui suit des indications s'attend à tout. Celui qui fait des plans construit une œuvre, celui qui suit des indications travaille par quinzaines, et rédige des cahiers. Esprit de méthode contre esprit d'aventure, le premier produit de belles formes métalliques, tandis que le second, inscrit dans un espace qui le transcende, entretient avec le monde le même rapport que l'artisan avec la pierre ou le bois.

À la métaphysique moderne qui fait de l'homme un *sub-jectum*, c'est-à-dire le fondement ou le maître de ses actes et de son destin, Barrès répond qu'il faut en rabattre et que les vivants forment avec les morts une seule et même réalité. « Sois un homme, mon fils! » dit la sagesse des nations. « Sois un fils, mon homme! » dit Barrès pour qui tout le malheur moderne tient dans l'oubli non de l'être, mais des ancêtres. Ce n'est pas le sujet qui est sujet, ce n'est pas dans l'aptitude à être l'auteur unique, conscient et responsable de ses actes que se situe, à ses yeux, l'humanité de l'homme, mais dans une espèce d'enchaînement radical, dans l'obéissance à la loi sacrée de la filiation : « Celui qui se laisse pénétrer de ces certitudes abandonne la prétention de sentir mieux, de penser mieux, de vouloir mieux que ses père et mère. Il se dit : je suis eux-mêmes. »

On trouve parfois chez Péguy les mêmes mots que chez Barrès, mais on ne trouve rien qui ressemblât au portrait barressien de l'homme en fils de famille. L'amour du concret, la religion du réel, la piété à l'égard de la terre ne s'identifient jamais dans sa pensée au repli de la raison sur la région ou sur la race. Il ne choisit pas l'innéité du « chant naturel » contre l'intellectualité de « la cantilène apprise [44] », ni la voix du sang contre la liberté de l'esprit. Alors que Barrès constate dans *Le voyage à Sparte* : « Faute de sang grec dans mes veines, je ne comprends guère Socrate ni Platon [45] », l'auteur des *Suppliants parallèles* bénit M. Naudy de l'avoir fait accéder à une vérité que ses ancêtres n'avaient pas déjà implantée dans son âme. Bref, tout en définissant, comme Barrès, la métaphysique moderne par l'avènement de l'homme dans la posture du sujet, Péguy oppose non l'*abdication* du fils mais l'*abnégation* du père de famille à la subjectivité triomphante.

Vue du fils, la famille est un cocon : « C'est comme un ordre architectural que l'on perfectionne : c'est toujours le même ordre. C'est comme une maison où l'on introduit d'autres dispositions : non seulement elle repose sur les mêmes assises, mais encore elle est faite des mêmes moellons : c'est toujours la même maison [46]. » Vue du père, la famille est un souci : « Lui seul il souffre d'autres. » La famille du fils, c'est son hérédité : « Mon être m'enchante quand je le vois échelonné sur tant de siècles. Je ne suis qu'un instant d'un long développement de mon Être [47]. » La famille du père, c'est sa vulnérabilité : « Lui seul il expose, il est contraint d'exposer aux tempêtes de mer un énorme appareil, un corps plein, toute la toile; et quelle que soit la force du vent il est forcé de naviguer au plein de ses voiles. Tout le monde a barre sur lui et il n'a barre sur personne [48]. » Le père et le fils sont tous deux destitués de leur position souveraine, mais c'est dans le cas du premier pour l'immobilité et pour la sécurité de l'enracinement, dans le cas du second pour une odyssée sans retour. Quiétude du fils qui, mourant comme individu, renaît comme dépositaire ou comme héritier et trouve « une magnifique douceur » dans « cet excès d'humiliation [49] ». Inquiétude du père, comme évincé de lui-même, engagé malgré lui dans le monde et dans l'avenir du monde, « assailli de scrupules, bourrelé de remords » de savoir dans quelle cité de demain il livrera, le jour de la mort, les enfants dont il se sent si pleinement responsable...

Et tandis que la haine du fils pour la philosophie kantienne vise la prétention de l'impératif catégorique à valoir pour tous, en tous temps et en tous lieux, tandis que Barrès s'appuie sur la diversité des généalogies pour contester l'*universalisme* de la raison pratique, Péguy, lui, dénonce au nom du père son « *égoïsme* transcendantal », c'est-à-dire le fait de travailler « pour l'exercice et la vertu du travail même, pour le mérite et pour l'obligation [50] » plutôt que pour la réussite de l'œuvre. C'est au fils, enfin, au descendant, à l'homme conscient de sa dépendance, que le

Juif sans feu ni lieu apparaît comme le danger suprême et la cause de tous les maux. L'homme qui souffre d'autres, en revanche, reconnaît dans l'inquiétude juive le paradigme de ses scrupules, de ses pérégrinations et de ses tourments.

On l'a vu : il n'est pas possible de suivre Péguy quand il renverse l'opposition entre le célibataire et le père de famille, et qu'il attribue à celui-ci, précisément parce qu'il est encombré d'enfants, le titre d'aventurier qu'il refuse à celui-là précisément parce qu'il est « l'homme libre, le non-prisonnier, le non-otage, le délié, l'inlié, le jamais lié, le faufilateur, l'homme aux pieds légers, le coureur, le faiseur de bombes, le bambocheur [51] ». Dire que, des deux, le plus pépère n'est pas le père constitue un paradoxe saisissant et courageux mais intenable. Dans son combat contre toutes les formes d'acosmisme, Péguy passe à côté de l'acosmisme familial. Faut-il cependant se contenter de le prendre au mot ? Comme le montre la comparaison avec le romantisme national de Barrès, ce n'est pas la validité factuelle de sa description qui importe au premier chef, c'est l'originalité d'une position philosophique qui définit par l'envahissement de la responsabilité, plutôt que par l'engloutissement dans la collectivité, l'appartenance de l'homme au monde.

Le père de famille n'est d'ailleurs que l'une des figures où s'incarne cette modalité de l'humain. Le même rapport que celui du père à ses enfants unit, pour Péguy, les vivants aux morts. Contrairement à ce que soutient Barrès, nous ne sommes pas les fils de nos morts. Pour nous conditionner, nous commander, guider nos pas, surveiller nos gestes, diriger nos pensées et parler en nous quand nous parlons, il faudrait qu'ils ne soient pas morts. Ils sont morts pourtant, c'est-à-dire sans défense, privés de parole et plus désarmés encore qu'un petit enfant. Ils ne nous tiennent pas, nous les tenons. Ils ne nous possèdent pas, nous pouvons faire d'eux ce que bon nous semble. Souvenons-nous des paroles de Péguy sur la lecture : « Il est effrayant, mon ami, de penser que nous avons toute licence, que nous avons ce droit exorbitant, que nous avons *le droit* de faire une mauvaise lecture d'Homère, de découronner une œuvre du génie... » Mais qu'est-ce qu'être homme ? c'est ne pas user de ce droit de l'homme, ne pas tomber dans cette liberté, et de prédateur, devenir gardien. Se faire, en d'autres termes, le père des morts, non pas au sens d'une tutelle que nous exercerions sur eux du haut de la sagesse accumulée par l'humanité (« l'histoire reconnaîtra les siens »), mais au sens de la protection que nous leur devons, et qu'exprime admirablement Copeau, metteur en scène péguyste égaré dans un siècle moderne : « La plus dure matière, le marbre le plus pur ne défendra pas la statue de se défaire si le regard que nous portons sur elle n'est pas un regard vivant. Et s'il s'agit d'une œuvre de poésie, notre *responsabilité* n'est pas moins grande [52]. »

C'est aussi cette position de protecteur des morts et de gardien des tombeaux qui fait toute l'originalité du dreyfusisme de Péguy. Les antidreyfusards invoquent les nécessités de la préservation sociale, les dreyfusards se réclament de la justice individuelle. Péguy veut que justice soit rendue au nom de la préservation sociale. Brouillant les cartes, se refusant à jouer l'un contre l'autre le passé et le présent, la justice et la tradition, l'individu et la société ou le droit des morts et le droit des vivants, il défend la même chose que ses adversaires mais d'un autre point de vue. Ceux-ci affirment qu'il ne faut pas exposer tout un peuple de mémoires, toute l'histoire et tout le passé d'un peuple « pour un homme quel qu'il soit, quelque légitimes que soient ses intérêts ou ses droits ». Péguy réplique : « Plus nous avons de passé, plus nous avons de mémoire (plus ainsi, comme vous le dites, nous avons de responsabilité), plus ainsi aussi ici nous devons la défendre ainsi. Plus nous avons de passé derrière nous, plus (justement) il nous faut le défendre ainsi, le garder pur [53]. » Devant la menace nationaliste et la vague antidreyfusarde, la jeune république et les vieux morts réclamaient la même assistance : « L'honneur d'un peuple est d'un seul tenant [54]. »

La religion de Péguy fait subir au lien de l'homme à Dieu un retournement analogue :

Voilà la situation que Dieu s'est faite.
Celui qui aime tombe dans la servitude de celui qui est aimé.
Par-là même.
Celui qui aime tombe sous la servitude de celui qu'il aime.
Dieu n'a pas voulu échapper à cette loi commune.

Et par son amour il est tombé dans la servitude du pécheur.
[...]
Effrayant amour, effrayante charité,
Effrayante espérance, responsabilité vraiment effrayante,
Le Créateur a besoin de sa créature, s'est mis à avoir besoin de sa créature.
Il ne peut rien faire sans elle.
C'est un roi qui aurait abdiqué aux mains de chacun de ses sujets
Simplement le pouvoir suprême.
[...]
Quel dépouillement, de soi, de son pouvoir.
Quelle imprudence.
Quelle imprévision, quelle imprévoyance,
Quelle improvidence
de Dieu
Nous pouvons faire défaut [55].

Improvidence de Dieu. Ce thème prend à revers la foi moderne dans le progrès aussi bien que celle des Anciens en un dieu paternel, tutélaire et tout-puissant. Péguy croyant dénonce moins l'athéisme que la théodicée dans ses deux versions, surnaturelle et séculière. Loin de présenter la religion comme un remède à l'inquiétude, il oppose l'inquiétude pour Dieu à l'idée rassurante que la Raison gouverne le monde. Car Dieu s'est mis dans un mauvais cas, Dieu est comme les morts et comme les enfants : ce n'est pas Lui qui répond de nous, c'est nous qui répondons de Lui. La même « liaison dangereuse », la même effrayante responsabilité attache la créature au Créateur, le lecteur moderne à Homère, le Français à ses morts et le père de famille à l'avenir du monde.

Et cette image se retrouve là où on l'attendait le moins, dans la description faite par Péguy de la technique artisanale : « Même ce morceau de bois brut, cette grume, cette bille, combien ne faut-il pas que l'ouvrier la traite précautionneusement. Cérémonieusement. Elle ne supporterait pas le moindre outrage. Elle est comme un enfant, qui se défend, qui se sauve, qui devient redoutable même, *qui va jusqu'à se faire tyrannique par sa faiblesse même et par son avenir.* Comme un élève, comme un enfant, qui est garanti. Par l'effrayant capital d'appréhension que nous avons placé en lui. Par son avenir que nous voulons lire en lui. Si l'ouvrier la maltraitait, il maltraiterait ensemble, dedans, inséparablement, il altérerait, il diminuerait, il compromettrait, il risquerait d'anéantir son propre travail, présent et à venir; sa propre matière donc sa propre œuvre [56]. »

Le père de famille ou le scrupule comme définition de l'humain. Scrupule envers ceux qui viennent après nous. Scrupule envers un Dieu dépendant et désarmé. Scrupule envers la matière. Scrupule envers le donné. Scrupule envers les morts. Et la méthode moderne met fin à tous ces scrupules. Moderne est, en effet, le monde qui n'advient plus à nous sur le mode de la responsabilité, mais sur le mode de la disponibilité. Moderne est le monde où tout est malléable, que ce soit dans l'ordre de la connaissance avec le coup de force du coup de pouce, dans l'ordre de la technique avec la disparition de la pierre et du bois au profit d'une matière corvéable et interchangeable ou, enfin, dans l'ordre de l'échange avec la domination de l'Argent : « Tout l'avilissement du monde moderne, c'est-à-dire toute la mise à bas prix du monde moderne, tout l'abaissement de prix vient de ce que le monde moderne a considéré comme négociables des valeurs que le monde antique et le monde chrétien considéraient comme non négociables. C'est cette universelle négociation qui a fait cet universel avilissement [57]. »

Dissemblance des nostalgies. Barrès est nostalgique d'une France où le scrupule serait neutralisé et où l'homme rendu à son être pourrait *se* laisser être, déployer sa force d'être, en toute innocence, et sans égard pour ce qui n'est pas soi. Comme l'arbre de M. Taine. « Dans l'ordre des faits, écrit Barrès, le droit et la justice n'existent pas. Tout au long de l'histoire, il y a la force qui se développe sans autre règle qu'elle-même [58]. » La doctrine nationaliste exhorte certes l'individu à faire le sacrifice de son moi, mais c'est au profit d'une individualité supérieure qui, elle, est délivrée de toute obligation, et qui doit pouvoir s'affirmer sans restriction ni remords. Et si le monde moderne est condamnable, c'est pour les limites et les entraves qu'il met à cette affirmation, si Barrès dénonce d'un seul tenant le règne de la raison pratique et celui de la raison calculante, c'est au nom des impératifs naturels de la vie. À la froideur d'un monde métallique, il oppose la chaleur et l'authenticité des passions élémentaires en attendant la synthèse fasciste ou nationale-socialiste qui réconciliera le fer avec l'instinct.

La nostalgie du scrupule entraîne Péguy vers d'autres tendresses et le conduit sur d'autres chemins. Énergie de la race ou panmuflerie du rationnel, il rejette les deux versions alors ennemies de la volonté de puissance. Sa pensée échappe mystérieusement à l'alternative du *cogito* et du *cogitor*.

Et cela, comme on va maintenant le voir, même dans ses moments les plus exaltés. Même quand, avec un patriotisme toujours plus frénétique et toujours plus envahissant, il se prépare à la guerre.

CHAPITRE III

Le prix d'une patrie charnelle

Mars 1905. L'empereur Guillaume II qui croise au large du Maroc fait inopinément escale à Tanger. De fort méchante humeur car il a dû affronter « les effets d'une mer démontée et les écarts d'un étalon berbère qu'on lui a envoyé au débarcadère [1] », il affirme sans ambages et dès son arrivée les prétentions allemandes sur l'empire chérifien : « C'est au Sultan en sa qualité de souverain indépendant que je fais aujourd'hui ma visite. J'espère que, sous la souveraineté du Sultan, le Maroc libre sera ouvert à la concurrence pacifique de toutes les nations, sans monopole ni exclusive. Ma visite à Tanger a pour but de faire savoir que je suis décidé à faire tout ce qui est en mon pouvoir pour sauvegarder efficacement les intérêts de l'Allemagne au Maroc [2]. »

Par-dessus l'épaule de son hôte, c'est à la France que Guillaume II s'adresse, la France déjà maîtresse de l'Algérie et de la Tunisie et qui a obtenu l'accord de l'Italie, du Royaume-Uni puis de l'Espagne pour prolonger ses possessions jusqu'à l'Atlantique, en établissant un protectorat au Maroc. L'Allemagne qui mène depuis 1890 une politique à vocation mondiale conteste cet accord, et, par le coup de Tanger, Guillaume II menace explicitement la France, au cas où elle persisterait dans ses visées marocaines, de se porter au secours du Sultan.

Face à cet ultimatum, le gouvernement français est divisé. Convaincu que l'Allemagne ne fera pas la guerre pour le Maroc, Delcassé, le ministre des Affaires étrangères, est partisan de tenir bon. Rouvier, le président du Conseil, en revanche est inquiet : « La guerre aujourd'hui, déclare-t-il, dans les conditions d'infériorité où nous nous trouvons serait une aventure plus que téméraire et bien coupable [3]. » Aussi quand le chancelier von Bülow demande le 1er juin le renvoi du chef de la diplomatie française, Rouvier décide-t-il de le sacrifier : Delcassé est contraint de démissionner le 6 juin.

Saisissement : Péguy, dans *Notre patrie*, et Maurras, dans *Kiel et Tanger*, ont le même mot pour qualifier la réaction de l'opinion française à cet épisode. Soudain éveillée de ce rêve : la Belle Époque, la France découvre la réalité de la menace militaire allemande. Pour Maurras, cette prise de conscience est une confirmation; pour Péguy, il s'agit bien plutôt, bien plus spectaculairement, d'une révélation, et même d'une révolution, c'est-à-dire d'une rupture soudaine, définitive et irréversible entre un avant et un après : l'avant insouciant des soucis *domestiques* au sens à la fois personnel et politique de ce mot (« j'aurais fait mon cahier bien tranquille au coin de mon feu, au moins du côté du travail; nous aurions tous fait nos métiers bien tranquilles [4] »), l'après de l'inquiétude; l'avant du quotidien, de la vie de tous les jours, « grise et tissée de fils communs » (« la vie de celui qui ne veut pas dominer est généralement de la toile bise [5] »), l'après de l'avant-guerre; l'avant d'un présent sans épaisseur, l'après d'un passé subitement et pour toujours présent à toutes les consciences; l'avant de l'amnésie, l'après de l'anamnèse : « L'élargissement, l'épanouissement de cette connaissance qui gagnait de proche en proche n'était point le disséminement poussiéreux discontinu des nouvelles ordinaires par communications verbales; c'était plutôt une commune reconnaissance intérieure, une connaissance sourde, profonde, un retentissement commun d'un même son; au premier déclenchement, à la première intonation, tout homme entendait en lui, retrouvait, écoutait, comme familière et connue, cette résonance profonde, cette voix qui n'était pas une voix du dehors, cette voix de mémoire engloutie là et comme amoncelée on ne savait depuis quand ni pourquoi [6]. »

De cette révolution de l'être, Péguy est à la fois le témoin et le sujet. Il pensait à la première personne, voici qu'il retrouve en lui « toute une ville [7] », Paris avec ses quatre monuments majeurs (Notre-Dame, le Panthéon, l'Arc de Triomphe, les Invalides), et que son œuvre exclusivement faite jusqu'alors de dialogues, discussions et polémiques s'ouvre pour la première fois à la description. Il se croyait seul à bord de lui-même, en l'espace d'un matin, il se découvre habité. Il se croyait maître de sa voix, une autre voix plus ancienne parle en lui un langage irrécusable. Il se croyait contemporain et uniquement contemporain, un passé le transit sans qu'il puisse choisir de le mettre en fiches ou de s'en détourner, sans qu'il ait le moyen de lui échapper par la distance de l'historien ou par l'oubli salvateur. Ce passé ineffaçable et inobjectivable, ce passé présent, ce passé parlant, ce passé qui ne se laisse pas plus refroidir par l'histoire que recouvrir par la vie, l'affecte avant toute initiative et signe sa participation à un destin plus vaste que sa propre biographie. Pour le dire d'un mot : la personne qu'il est ne peut plus désormais se reconnaître dans la subjectivité du sujet idéaliste : « Un homme est de son extraction. Un homme est ce qu'il est », écrit-il après cet événement. Ou ceci qui est plus abrupt encore : « Il n'est pas donné à l'homme de se faire un autre berceau [8]. »

Certes, Maurras et Barrès n'ont jamais dit autre chose. Leur nationalisme éperdu découle tout entier du fait primordial que nous sommes des êtres finis, nés sans l'avoir voulu sur une terre bien précise, et que nos choix ne dépendent pas d'un choix mais de notre appartenance. Aux vaniteux et aux oublieux qui se prétendent causes d'eux-mêmes, leur pédagogie de l'humilité rappelle qu'ils ne sont que des conséquences et que la France en chaque Français précède l'individu.

Là encore pourtant, là surtout, il ne faut pas se fier aux apparences : sous l'effet du coup de Tanger, Péguy a beau se convertir à la finitude et briser les derniers liens qui pouvaient l'unir encore à l'idéalisme des Lumières, ce saisissement n'est pas un ralliement :

la France que fait surgir en lui et autour de lui, par un demi-clair matin de juin, la *kaiserliche* menace militaire allemande, n'est pas la France de Maurras ou de Barrès, même si comme eux il se prépare, depuis lors, à l'inévitable confrontation.

« Le mot *naître* exprimant un rapport de dépendance, il est absurde de prétendre que l'homme *naît libre* [9] », écrit Maurras. La liberté, les droits de l'homme sont des « abstractions juridico-métaphysico-blagologiques [10] » dont s'enivrent, pour le malheur du pays, ceux qu'il appelle les princes des nuées. Entre la nation – le lieu où l'on naît – et la liberté – cette idole inconsistante, cette ineptie vagabonde –, il faut choisir et la survie de la France dépend de ce combat sans merci. Conscient soudain des déterminations historiques et géographiques qui pèsent sur son identité, Péguy donne un tout autre sens à cet abandon de pouvoir. Avec l'irruption du monde extérieur dans ce qui était jusqu'alors le monde de la sécurité, il se rend compte que la liberté n'est pas seulement un principe mais un sol à défendre. Face au danger, les droits dont il bénéficie et le paysage qu'il habite se confondent. L'idée prend les contours du lieu, le lieu apparaît comme le réceptacle ou le point d'appui de l'idée. L'esprit imprègne, sans rien perdre de sa spiritualité, les vignes et les coteaux du pays de France. Loin donc de choisir la solidité de la terre contre l'éther de la liberté, Péguy voit la liberté *atterrir,* et c'est cette découverte qui le conduit à se mettre au service de la nation. Comme Maurras, il oppose la logique de l'appartenance à la légende de l'autofondation; comme Maurras, et au même moment, il déclare la patrie en danger, mais ce qui la constitue pour lui est justement ce qui la menace pour le théoricien du nationalisme intégral : la France de Péguy *incarne* les nuées qu'il faut dissiper pour accéder à celle de Maurras, la terre que Péguy défend et dont il ne veut pas démériter sert de support à toutes les chimères que Maurras s'efforce de chasser de l'esprit des Français en les rappelant encore et toujours à la réalité de leur ancrage.

Ce qu'en d'autres termes le saisissement fait comprendre à Péguy, ce n'est pas, comme l'eût souhaité Maurras, que les droits de l'homme sont « une idée de tête », c'est qu'ils ont un corps; ce ne sont pas les ravages, les dévastations ou les méfaits de l'esprit révolutionnaire, c'est « le prix d'une patrie charnelle » et « ce que vaut, pour y appuyer une Révolution, un peu de terre [11] »; ce n'est pas que la réalité positive est la seule réalité, c'est que « le spirituel est constamment couché dans le lit de camp du temporel [12] », et que, pour ne pas mourir, il a besoin de sentinelles, c'est-à-dire de soldats.

Ce militarisme ontologique va de pair, on l'a vu, avec un dreyfusisme toujours aussi militant. On l'a vu, mais il faut y revenir, car une telle conjonction est très paradoxale. Au moment du déclenchement de l'Affaire, Péguy ne croyait pas plus que les autres dreyfusards à l'éventualité d'un conflit avec l'Allemagne. Déjà fasciné par le personnage de Jeanne d'Arc, il traduisait sa révolte devant « la pitié qu'il y avait au royaume de France » en exhortation à combattre le mal de la misère. Et même si rendu moins optimiste que Benda par les massacres d'Arménie, il doutait que l'humanité fût définitivement sortie de son âge belliqueux, il était alors persuadé comme lui que les nationalistes n'agitaient « le spectre d'une guerre franco-allemande que pour les besoins de leur passion [13] ». Ne voyant pas l'utilité d'une armée puissante, c'est en toute quiétude, en toute bonne conscience qu'il pouvait dénoncer l'infamie de l'État-major et envisager d'affaiblir l'armée. Nul souci, nulle angoisse, nul débat intérieur ne venait tempérer ou simplement attrister la vigueur de son engagement.

Avec la chute de Delcassé, les dreyfusards doivent concéder à leurs adversaires que la guerre n'est pas derrière mais devant eux. D'où l'attitude de Daniel Halévy dans l'*Apologie pour notre passé* : de son ancien dreyfusisme il critique, avant toute chose, le mépris pour l'armée qui s'y donnait libre cours : « M. Boutroux avait raison quand il insistait d'une manière presque désespérée auprès du reporter qui l'avait relancé : " Dites bien que nous respectons, que nous aimons l'armée telle qu'elle est. " Ces mots nous faisaient rire. Il semblait paradoxal de respecter, d'aimer l'armée telle qu'elle était en janvier 1899 [14]. » En lui passant l'envie de rire, Guillaume II n'a pas seulement rehaussé le prestige de Boutroux et de son dreyfusisme respectueux, il a conféré comme une pertinence rétrospective au souci des antidreyfusards pour la défense du pays. Le manichéisme n'est désormais plus de mise. Autrefois lumineux, le choix de la raison contre la raison d'État devient soudain douloureux : l'événement de 1905 a fait basculer Daniel Halévy de la jubilation dans la mauvaise conscience, et de l'univers en noir et blanc du progrès dans celui, tragique, de l'indécidable.

« Nous fûmes des héros [15] », lui répond Péguy : ce mot qui dit la gloire des commencements doit être aussi entendu en son sens militaire. C'est avec une ferveur toute martiale qu'il évoque en 1911 les échauffourées du Quartier latin entre les étudiants républicains et les Camelots du Roi. Il est comme Halévy transformé par le coup de Tanger, mais la voix de mémoire, la voix d'au-delà de la conscience que cette crise réveille, ne désavoue pas son dreyfusisme ni ne lui murmure qu'il est tombé, en ruinant le crédit de l'État-major, dans un piège allemand. Elle lui apprend qu'à son insu il était déjà soldat au temps de l'Affaire, que ses petites bagarres étaient de vraies batailles, car c'est le « même domaine incessamment menacé », la même parcelle misérable et précaire, la même mince pellicule « d'un petit peu de culture et d'un petit peu de liberté [16] » qu'il défendait alors contre le faux patriotisme du colonel Henry et qu'il défend maintenant contre la menace militaire allemande.

Certes Péguy n'a pas attendu le coup de Tanger pour aimer d'un même amour la république et la patrie. Internationaliste farouche, il n'abandonnait pas pour autant la nation aux partis et groupements qui se réclamaient du nationalisme. Dès 1898, il écrivait à l'adresse des adversaires de la Révision : « Vous insinuez que nous ne sommes pas patriotes. C'est nous qui le sommes puisque nous ne voulons pas que la patrie soit déshonorée par une infamie : et c'est vous qui ne l'êtes pas puisque vous voulez que la patrie soit déshonorée par cette infamie [17]. » Mais après 1905, ce patriotisme se fait plus inquiet. Péguy saisit alors non que la France existe, mais qu'elle peut périr et qu'elle est physiquement menacée. Le sentiment nouveau de cette fragilité le conduit à dramatiser l'enjeu de l'Affaire et à le décrire en termes de vie et de mort de la nation, comme l'atteste l'interpellation de *Notre jeunesse* à Maurras (déjà commentée plus haut mais qui n'a pas encore livré tous ses mystères) : « Nous disions, une seule injustice, un seul crime, une seule illégalité, surtout si elle est officiellement enregistrée, confirmée, une seule injure à l'humanité, une seule injure à la justice et au droit surtout si elle est universellement, légalement, nationalement, commodément acceptée, un seul crime rompt et suffit à rompre tout le pacte social, tout le contrat social, une seule forfaiture, un seul déshonneur suffit à perdre d'honneur, à déshonorer tout un peuple [18]. » La référence au contrat social évoque la pensée des Lumières et l'idée d'une association volontaire des individus vivants, mais c'est au sens romantique d'une dette envers les morts que l'entend Péguy. À la fiction contractuelle des philosophes, il oppose la figure historique de la patrie et la cité dont il parle n'est pas la cité en soi, n'est pas l'idée de cité, c'est la France. Le dreyfusisme, dit-il en substance, était une action française : « Ce n'est pas seulement l'honneur de tout notre peuple, dans le présent, c'est l'honneur historique de notre peuple, tout l'honneur historique

de toute notre race, l'honneur de nos aïeux, l'honneur de nos enfants [19]. » À la mémoire, Péguy répond par la mémoire : affrontant ses adversaires sur leur propre terrain, il retourne contre eux l'argument généalogique. Alors même que pour Barrès et Maurras, Dreyfus est coupable parce qu'il n'est pas de leur lignage, parce qu'il n'est pas de la même extraction qu'eux (et tout le reste est intellectualisme), Péguy affirme qu'un déni de justice eût porté un coup fatal à la tradition qu'il a reçue en dépôt. Après avoir commencé de façon très rousseauiste par l'invocation du contrat social, continué à la manière de Joseph de Maistre ou d'Auguste Comte par la reconnaissance que la nation est composée de plus de morts que de vivants, sa profession de foi s'achève, à la Michelet, par la définition du dreyfusisme comme le *noblesse oblige* des républicains : « Plus nous avons de passé derrière nous, plus (justement) il nous faut le défendre aussi, le garder pur. *Je rendrai mon sang pur comme je l'ai reçu.* C'était la règle et l'honneur de la poussée cornélienne, la vieille poussée cornélienne [20]. »

Sang *pur.* Ces mots, comme celui de race, ont coûté très cher à Péguy. Ils lui ont valu de voisiner dans l'enfer idéologique du XXe siècle avec les monstres les plus effrayants.

Nul racisme, pourtant, dans sa conception de la race. Mais, sur le modèle qui nous est maintenant familier d'un engagement, d'une inscription, ou, pour mieux dire encore, d'une « racination » du spirituel dans le temporel, la définition de la France comme « grande nation d'hospitalité ». Quand Péguy parle de

race, il ne désigne pas une catégorie physique ou les traits héréditaires d'une entité collective, il affirme la liaison intime d'un peuple et d'une idée. Liaison intime et fragile. Car, telle est la loi inexorable du temporel, tout ce qui est fait peut se perdre et se défaire, tout ce qui est est essentiellement précaire. Le passé ne se transmet pas à ses légataires sous la forme à la fois contraignante et rassurante d'un déterminisme génétique, mais sous celle, irréfutable et impalpable, d'une responsabilité. Le *je* n'est pas le prisonnier du *nous,* il en est – position beaucoup plus scabreuse – le mandataire. L'héritier peut dilapider l'héritage. L'élu est libre de manquer à l'appel. Car la race n'est pas, comme le veut le raciste, *l'impossibilité de faire autrement,* elle se définit par le fait doublement paradoxal de *naître avec une parole d'honneur* et de pouvoir s'y dérober à tout instant. Rien n'est jamais acquis ou donné. Ce que Péguy désigne sous le nom aujourd'hui si impur et si malsonnant de pureté, c'est donc la vigilance morale de celui qui ne veut pas déroger et non la vigilance ethnique de celui qui veut que chacun reste à sa place et qui dresse des barrières pour éviter à lui-même et aux siens de déchoir dans un « immonde mélange [21] ».

Héroïsme sans biologisme : le pur selon Péguy n'est pas l'homme qui a la phobie du contact ou de la contamination, il est l'homme qui ne passe pas de compromis. Sa loyauté à l'égard de la race s'exprime dans le refus d'exclure, dans la volonté de ne traiter personne inciviquement, non dans la chasse aux éléments étrangers, et le danger qu'il combat n'est pas le métissage mais l'habitude, la sclérose, l'usure, le tout fait, ou même simplement le cours intéressé de la vie, c'est-à-dire, dans ses diverses variantes, l'infidélité aux principes dont le hasard de la naissance l'a nommé gardien.

Ainsi Péguy nationaliste reste dreyfusard. Il le reste même tellement qu'il fait jouer dans les deux sens l'analogie entre la défense de la patrie et celle du proscrit de l'île du Diable : lecture patriotique de l'Affaire en 1911 dans *Notre jeunesse*; lecture dreyfusarde du débat sur la revanche en 1913 dans *L'argent suite.*

Le coup de Tanger a fait brutalement resurgir le souvenir de l'invasion et de la défaite. La voix comme familière et connue que tout homme alors entendait en lui a ramené à la surface de la conscience les épreuves de 1870 et la question d'Alsace-Lorraine. Question pour Péguy d'autant plus douloureuse que la perte de ces deux provinces ne se résume pas à une amputation. Comme Fustel de Coulanges dès 1871, il pense que « Strasbourg n'appartient à personne. Strasbourg n'est pas un objet de possession que nous ayons à restituer. Strasbourg n'est pas à nous, il est avec nous [22] ». La revanche, dans cette perspective, n'est pas une reconquête, c'est une libération du « peuple opprimé d'Alsace » et du « peuple opprimé de Lorraine [23] » : « Au sens où on dit que la Finlande, au sens où on dit que la Pologne est opprimée, il est rigoureusement vrai de dire qu'en ce même sens l'Alsace-Lorraine est opprimée [24]. » Aucune magnanimité dès lors chez ceux qui se déclarent prêts à renoncer aux provinces annexées pour préserver la paix. Ils ne se séparent pas d'un bien, ils cassent un lien; ils ne font pas un sacrifice, ils sacrifient sans vergogne le droit des gens à leur tranquillité. Tels les antidreyfusards d'autrefois, ils préfèrent une injustice à un désordre : « Dans le système *paix* la justice n'est rien, au prix de l'ordre [...] Et dans le système *droits de l'Homme* l'ordre n'est rien, au prix de la justice. Dans le système *paix,* la justice n'est rien, qu'il faut acheter au prix d'une guerre. Dans le système *droits de l'Homme,* la paix n'est rien, qu'il faut acheter au prix d'une injustice [25]. »

Péguy vit la question d'Alsace-Lorraine comme une continuation de l'Affaire. La voix de mémoire ressuscite un passé englouti mais tient un langage inchangé, et tout l'art polémique de *L'argent suite* consiste à montrer qu'en adhérant au système *paix,* la Ligue des droits de l'homme, cette émanation du dreyfusisme, a violé ses propres principes et changé de camp. Sans doute comme Péguy le précise lui-même, les pacifistes défendent-ils l'*ordre matériel,* c'est-à-dire la possibilité donnée à chacun de poursuivre en paix son intérêt particulier, tandis que les antidreyfusards parlaient au nom de l'intérêt de la nation et défendaient l'*ordre social.* Ce n'est pas la même chose, Péguy le sait fort bien, de hisser la vie au rang de norme suprême et de mettre le tout au-dessus de l'individu. L'assimilation à laquelle il procède, pourtant, n'est pas un simple jeu de mots. Les adversaires de la révision et ceux de la revanche ont, en effet, ceci de commun qu'ils identifient le Bien à l'être. L'être des premiers, c'est la nation; l'être des seconds, c'est l'individu; mais, dans les deux cas, la persévérance de l'être dans son être constitue le Bien. Ceux pour qui la paix est un absolu, et ceux pour qui c'est la collectivité, récusent l'idée d'un au-delà de la pure positivité. C'est de cet au-delà, à l'inverse, que se réclame obstinément Péguy. C'est à chaque fois le refus de rabattre le Bien sur l'être et de laisser la nation ou la vie devenir à elles-mêmes leur propre fin qui motive ses engagements. Une seule formule résume dans son esprit le combat pour Dreyfus et le combat pour la libération des provinces perdues : le droit est plus précieux que le jour.

Quand l'avis de mobilisation est affiché le 1er août 1914 à quatre heures de l'après-midi, Péguy est prêt. L'événement ne le prend pas par surprise. Il revêt, sans manifester le moindre trouble, l'uniforme noir et rouge de lieutenant d'infanterie « qu'il sortait tous les deux ans du poivre et de la naphtaline » et qui, nous disent les Tharaud, « lui donnait un air si peu guerrier que dans sa compagnie on l'appelait le pion [26] ». Il se rend alors dans la capitale, occupe les trois jours dont il dispose avant de rejoindre son régiment à faire la tournée de ses proches et à se réconcilier avec ses ennemis. Puis il quitte Paris, le 4 août, sur ces mots adressés à Mme Favre, la fille du républicain de 48 : « Grande amie, je pars soldat de la république pour le désarmement général et la dernière des guerres. » Un mois plus tard seulement, au deuxième jour de la bataille de la Marne, il tombe près de Villeroy, tué d'une balle au front dans un champ de betteraves.

Heureux ceux qui sont morts, car ils sont retournés
Dans la première argile et la première terre.
Heureux ceux qui sont morts dans une juste guerre
Heureux les épis mûrs et les blés moissonnés.
Heureux ceux qui sont morts car ils sont retournés
Dans la première terre et l'argile plastique.
Heureux ceux qui sont morts dans une guerre antique
Heureux les vases purs et les rois couronnés [27].

Ces quatrains d'Ève sont devenus depuis lors l'épitaphe obligée du lieutenant et de l'écrivain Charles Péguy. Unanimement médusés, les contemporains y ont vu à la fois la description anticipée de sa mort et la clé d'une œuvre qui jusque-là leur échappait. On comprend leur vertige, mais on doit se garder d'y succomber, et cela pour deux raisons. D'abord, parce que l'immortalité ainsi conférée à Péguy est l'immortalité bien-pensante et non celle de la pensée. « Heureux ceux qui sont morts dans une juste guerre » : en attirant à elle tous les autres visages de Péguy, cette gravure fait de lui, pour les siècles des siècles, un auteur édifiant. Le philosophe énergumène disparaît sous l'image pieuse. Au moment même où il entre dans la légende, Péguy penseur commence à tomber dans l'oubli.

Seconde raison plus importante peut-être : soldat de l'an II en l'an 1914, Péguy a fait la guerre sans avoir le temps de savoir la guerre qu'il faisait. Il ne lui a pas été donné de mourir dans une « juste guerre » ni dans une « guerre antique ». Sans doute faut-il être un enfant gâté de l'histoire et n'avoir jamais eu à payer le prix d'une patrie charnelle pour s'applaudir de crier « Mort aux vaches et au champ d'honneur! » et pour considérer qu'en défendant l'intégrité du territoire national alors que les Allemands étaient à quelques kilomètres de Paris, Péguy a fait un sacrifice ridicule. Et il faut avoir complètement perdu le sens du mot *occupation* pour ne même plus tenir compte du fait que, pendant plus de quatre ans, les troupes du Kaiser ont occupé tout le nord de la France (les lignes avancées de leur front passant près d'Arras, Noyon, Soissons et Reims). Reste que, même si, en effet, « le soldat mesure la quantité de terre où un peuple ne meurt pas [28] », Péguy figure parmi les victimes inaugurales d'une hécatombe insensée, effroyable et si éloignée de la tradition chevaleresque dont il rêvait qu'elle ne s'est pas inscrite dans la mémoire des peuples par le renom de ses héros mais, première de son espèce, par le culte rendu au soldat inconnu.

« Aujourd'hui encore, écrit Hannah Arendt, il est presque impossible de décrire ce qui s'est réellement produit en Europe le 4 août 1914 [29]. » La disproportion entre l'effet et la cause, entre l'incendie et l'incident qui l'a provoqué continue et continuera toujours de défier l'intelligence. De Sarajevo au chemin des Dames, la conséquence n'est pas bonne. Pourtant, raté de la diplomatie et déraison de l'histoire, elle a effectivement eu lieu. On sait que l'Allemagne était impatiente d'en découdre et que le Kaiser a laissé dégénérer la lutte d'influences que la Russie et l'Autriche-Hongrie se livraient dans les Balkans pour vider enfin sa querelle avec la France; premier constat, cependant : cette querelle n'était pas d'idées – comme le croyait Péguy tout imbu de la libération de l'Alsace-Lorraine –, mais d'intérêts – comme aurait pu le lui apprendre, s'il y avait prêté une attention plus perspicace, le coup de Tanger.

En 1905, la France poursuivait une politique d'expansion coloniale dont le double objectif était d'assurer à son industrie le contrôle de certaines sources essentielles de matières premières et d'offrir des débouchés à ses produits menacés par la concurrence des autres nations manufacturières. Comme l'avait dit Jules Ferry avec le bel enthousiasme des commencements : « La politique coloniale est fille de la politique industrielle. Pour les États riches où les capitaux abondent et s'accumulent rapidement, où le régime manufacturier est en voie de croissance continue, attirant à lui la partie sinon la plus nombreuse, du moins la plus éveillée et la plus remuante de la population qui vit du travail de ses bras – où la culture de la terre elle-même est condamnée pour se soutenir à s'industrialiser –, l'exportation est un facteur essentiel de la prospérité publique, et le champ d'emploi de capitaux, comme la demande de travail, se mesure à l'étendue du marché étranger [30]. »

Pourquoi Guillaume II a-t-il débarqué à Tanger sinon parce qu'il tenait le même raisonnement, aboutissait aux mêmes conclusions et entretenait pour son pays les mêmes ambitions que Jules Ferry pour le nôtre ? La France républicaine et l'Allemagne autocratique, autrement dit, avaient alors une chose en commun : l'impérialisme. Et bien plus que l'opposition institutionnelle, idéologique ou culturelle, c'est cette similitude qui nourrissait leur rivalité. Grand pourvoyeur d'antithèses, Péguy, comme tant d'autres écrivains des deux côtés, a contribué à installer la différence au cœur du différend et à transformer une concurrence acharnée en une sorte de tournoi spirituel. Il a élevé un choc d'intérêts au niveau d'une épreuve de vérité ou d'un affrontement de valeurs et, Roland furieux au siècle du calme Clausewitz, il a voulu la guerre pour qu'elle interrompît la politique alors qu'elle ne pouvait être, au mieux, que sa continuation par d'autres moyens. Illusion lyrique qui est aussi, si l'on en croit Péguy lui-même, la pire des fautes, la faute pour laquelle il n'est point de pardon : « Faire de la politique et la nommer politique c'est bien [...] Prendre de la politique et en faire de la mystique est un détournement inexpiable [31]. »

Et puis, avec son bel uniforme aux couleurs un peu défraîchies, avec ses gros souliers de soldat-laboureur, avec en tête Corneille, Victor Hugo et les drapeaux du passé « si beaux dans les histoires », Péguy se trompait d'époque et de bataille. Quelques jours après sa mort, « des ordres allaient venir pour éteindre ce rouge, ternir cet or, effacer tout cet éclat qui décorait encore les soldats français, modeste résidu de la Renaissance et des temps classiques. Le moderne allait encore se moderniser. Le devoir des officiers serait alors de se dissimuler le plus possible. Une dernière hésitation nous attarda dans le bleu horizon. Puis ce fut l'inondation du kaki sur toute la terre [32] ». C'est que la guerre de matériel changeait implacablement les données de la guerre et que la technique désormais affirmait son écrasante suprématie sur les vertus personnelles.

Péguy, il est vrai, a des excuses : tous les appelés, victimes du même décalage horaire, sont partis la fleur au fusil pour un rendez-vous avec l'inhabituel que pour rien au monde ils n'auraient voulu manquer. Graves ou gais, ils rêvaient d'une rédemption du quotidien dans l'exposition au péril suprême. La guerre s'identifiant pour eux à l'épopée, ils éprouvaient la joie de « troquer une vie étouffante contre une respiration surhumaine [33] », comme le dit justement Mme Simone à propos de Péguy. Or la guerre qu'ils ont embrassée ne fut pas la rapide excursion en pays romantique qu'avaient fait miroiter les livres d'histoire, les grands poèmes ou les tableaux de musées. En guise d'aventure héroïque, ils ont connu l'ennui *et* le danger, l'immobilité *et* la mort, *l'emprise du quotidien alliée au déchaînement de la violence* : « Pour l'homme de 14, dit Emmanuel Berl, la guerre est quelque chose de répugnant qui consiste à rester dans les tranchées avec les rats qui vous courent dessus. Cela ne consiste pas du tout à charger à la baïonnette! Il faut rester là et ne pas foutre le camp. C'est une patience et une humiliation [34]. »

Et les dirigeants étaient dans le même état d'esprit, dans la même disposition anachronique que les troupiers. Les chefs politiques et militaires ne savaient pas ce que le progrès dont ils célébraient dans la paix les réalisations merveilleuses était en train de leur réserver. Ils apprirent à leurs dépens, et en cours de route, qu'à l'ère moderne, la bataille n'était plus seulement une affaire de soldats. Ils virent peu à peu « l'image qui représente la guerre comme une action armée s'estomper au profit de la représentation bien plus large qui la conçoit comme un gigantesque processus de travail [35] ». Deux exemples chiffrés attestent cette impréparation : alors qu'en 1914 50 000 ouvriers travaillaient dans les établissements de la Défense nationale, ils étaient 1 600 000 en 1917; alors que le plan de l'État-major prévoyait avant le déclenchement des hostilités une production journalière de 13 000 coups de canon de 75, les usines en fabriquaient 150 000 dès 1915. Bref, entre l'anticipation et l'événement lui-même est intervenu ce que Raymond Aron a appelé « la surprise technique [36] ».

Cette surprise voua les combattants au mutisme et l'arrière à un surcroît d'éloquence. Les uns, jetés du rêve d'aventure dans la réalité de l'abattoir, se taisaient et mouraient. Les autres se grisaient de discours, de belles paroles et de propagande pour donner un sens à ce gigantesque anéantissement. Plus il y avait de victimes, plus la nécessité s'imposait de faire monter les enchères et les enjeux de la confrontation. Plus la guerre échappait à la raison, plus il fallait de raisons sublimes et péremptoires pour maintenir la mobilisation civile et pour justifier la guerre. Les grands principes qui avaient masqué la transformation de la guerre en machine de mort servaient, maintenant que la machine était lancée et tournait à plein régime, à la recoder en combat pour la civilisation. Au front, où les soldats découvraient « qu'on ne donnait pas l'assaut à l'ennemi la tête couronnée de chêne et l'uniforme décoré de rubans, mais qu'il fallait demeurer tapi pendant des semaines dans les tranchées ou les quartiers [...] et qu'on pouvait être déchiqueté et mutilé de loin sans avoir jamais vu l'adversaire [37] », le voile de l'idéologie était implacablement déchiré par l'expérience, tandis que l'arrière s'affairait avec une ardeur hyperbolique à idéologiser le conflit pour être à la hauteur de la violence du front.

C'est ainsi que « les rossignols du carnage », pour reprendre la terrible expression de Romain Rolland, se jetèrent sur le lieutenant de ligne Charles Péguy, l'enrôlèrent au service de leur cause et firent chanter son cadavre avec eux : « Ce Péguy que tous n'avaient pas compris, comme la mort va lui donner un sens puissant et clair, écrit Barrès au lendemain de Villeroy. Debout les morts! L'heure n'est plus aux querelles ni à la subtilité [38]. » Péguy vivant était un gêneur. Gisant, il devient une aubaine. Dans sa boutique des *Cahiers*, « ce repaire, disait le même Barrès, de normaliens plus ou moins dénormalisés, de protestants, de moralistes plébéiens et de talmudistes querelleurs [39] », il était inclassable. Dans son champ de betteraves, le voilà intouchable : sa voix purifiée, telle qu'en Barrès enfin l'éternité la change, sert maintenant à encadrer les esprits, à organiser l'enthousiasme et à entretenir la volonté de lutte de la nation.

À voir la manière dont la postérité règle aujourd'hui la question, à l'entendre proclamer : « Péguy, Barrès, même délire et même combat! », comme s'il était équivalent de *mourir* au front et de *nourrir* l'esprit de croisade par un article quotidien dans *L'Écho de Paris,* on ne peut que souscrire à ce jugement que formule Bernanos dans *Les enfants humiliés* : « L'Avenir n'appartient pas aux morts, mais à ceux qui font parler les morts, qui expliquent pourquoi ils sont morts. À la fin, c'est toujours l'embusqué qui définit le combattant [40]. »

Péguy n'a pas mérité un tel destin. Ce qui se justifie davantage, en revanche, c'est l'amicale critique de Romain Rolland, l'étonnement avec lequel il constate que Péguy « dont le regard perçait toutes les illusions » s'est prêté à celle d'une belle et juste guerre. C'était, dit profondément l'auteur d'*Au-dessus de la mêlée,* « faire un peu trop vite sa paix avec le monde moderne [41] »...

En pleine euphorie progressiste et seul entre tous les républicains, Péguy avait, en effet, rompu avec l'illusion proprement moderne d'une supériorité automatique d'aujourd'hui sur hier. Outre l'Affaire et ses « ravages d'immoralité [42] », deux événements avaient causé cette rupture : le massacre des Arméniens, en premier lieu, qu'il relata minutieusement dans l'un de ses tout premiers articles et dont il dit un peu plus tard : « Pour nous rappeler une telle mort collective, il nous faut, dans la mémoire de l'humanité remonter jusqu'aux massacres asiatiques du Moyen Âge [43] », la guerre russo-japonaise ensuite, qui le frappa d'épouvante, alors même que Julien Benda, Stefan Zweig et tant d'autres vivant ou croyant vivre dans « l'âge d'or de la sécurité » refusaient pour si peu, pour si loin, de renoncer à la certitude que la résolution des conflits par la force appartenait à la préhistoire. « De la réalité, affirmait Péguy en 1904, nous avons reçu trop de rudes avertissements; au moment où j'écris, l'humanité qui se croyait civilisée, au moins quelque peu, est jetée en proie à l'une des guerres les plus énormes et les plus écrasantes qu'elle ait jamais peut-être soutenues; deux peuples se sont affrontés avec un fanatisme de rage dont il ne faut pas dire seulement qu'il est barbare, qu'il fait un retour à la barbarie, mais dont il faut avouer ceci, qu'il paraît prouver que l'humanité n'a rien gagné peut-être, depuis le commencement des cultures, si vraiment la même ancienne barbarie peut reparaître au moment qu'on s'y attend le moins toute pareille, tout ancienne, toute la même, admirablement conservée, seule sincère peut-être, seule naturelle et spontanée sous les perfectionnements superficiels de ces cultures [44]. »

Impossible, en d'autres termes, d'être moderne, c'est-à-dire de *faire confiance au temps.* La guerre inflige un désaveu impitoyable à la religion du progrès. Elle montre alors à Péguy que tout bouge sans que rien ne change, que les découvertes se succèdent et que les inventions s'accumulent mais que l'histoire bégaie, que le développement fulgurant des techniques se combine avec le surplace accablant de l'horreur. Il faut donc en rabattre : la barbarie n'est pas la préhistoire de l'humanité mais l'ombre fidèle qui accompagne chacun de ses pas. Et quand notre monde, par le fait même de se dire moderne, affirme qu'après c'est toujours mieux qu'avant, il généralise abusivement le modèle cumulatif des sciences et des techniques à tous les secteurs de l'existence. Sous le choc d'événements lointains, le lecteur exclusif de Hugo qu'était Péguy se fait baudelairien : il retrouve, pour dénoncer le technicisme moderne, l'ironie et la véhémence de l'inventeur du substantif « modernité » : « Demandez à tout bon Français qui lit tous les jours *son* journal dans son estaminet ce qu'il entend par progrès, il répondra que c'est la vapeur, l'électricité et l'éclairage au gaz, et que ces découvertes témoignent pleinement de notre supériorité sur les Anciens, tant il s'est fait de ténèbres dans ce malheureux cerveau et tant les choses de l'ordre matériel et de l'ordre spirituel s'y sont si bizarrement confondues! Le pauvre homme est tellement américanisé par ses philosophes zoocrates et industriels qu'il a perdu la notion des différences qui caractérisent les phénomènes du monde physique et du monde moral, du naturel et du surnaturel [45]. »

Mais la réflexion de Péguy ne s'est pas arrêtée à cette critique – toujours actuelle – du positivisme – toujours renaissant. Née du constat que le progrès n'adoucit pas les mœurs, que le rapport de l'homme à l'homme n'est pas réglé sur le rapport de l'homme aux choses et que le savoir qui accroît le pouvoir n'accroît pas nécessairement la justice ou la sociabilité, elle s'est développée et prolongée en interrogation sur la nature même du progrès. On l'a vu plus haut, ce que Péguy a découvert, c'est que la technique ouvre un monde où l'être se définit par sa plasticité (« En ce temps-ci une humanité moderne est libre. Elle est libre de travailler une matière moderne relativement aisée, interchangeable, prostitutionnelle, qui peut servir à tout et à tout le monde... »). Moderne, autrement dit, est la substitution progressive de la manipulation au scrupule et au respect. À chaque invention, à chaque avancée, la sphère de l'indisponibilité se rétrécit. Ce qui était non malléable, non monnayable, non comptable, non calculable, le devient. Ce qui était hors commerce est désormais négociable. L'irréductible est réduit. Les résistances du réel et de l'idéal sont l'une après l'autre vaincues jusqu'à ce que s'étende, de développement en développement, le règne sans partage d'une muflerie illimitée.

Muflerie ou barbarie. Si être barbare, c'est envahir la réalité sans égard pour ce qui n'est pas soi, on ne peut se contenter de dire que l'humanité, bien que moderne, demeure indéfectiblement cruelle, violente et primitive, car la barbarie se manifeste, de nos jours, dans le pouvoir spécifiquement moderne de tout faire de tout. Et la guerre de matériel n'est pas la mise en échec ou en suspens mais l'apothéose d'un tel pouvoir : ses orages d'acier déchaînent l'irrépressible dynamisme de la technique bien plus que les pulsions archaïques de l'homme ou son vieux fonds de bestialité. À l'ère de la mobilisation totale, l'être humain lui-même est, comme le métal, une « fusible matière moderne, ductile, malléable, souple, docile, interchangeable, allante et venante »... Tel est le sens profond du soldat inconnu : le héros traditionnel qui survivait dans la mémoire des hommes par la prouesse singulière attachée à son nom cède la place au héros sans nom dont la vertu « réside dans le fait qu'on puisse le remplacer et que derrière chaque tué la relève se trouve déjà en réserve [46] ».

Cette mutation de la guerre, de l'héroïsme et de la barbarie que Jünger analyse en 1930 dans *Le travailleur,* Péguy, était, en son temps, le mieux placé pour la pressentir. Il ne l'a pas fait parce que l'ivresse patriotique, sur ce point, a eu raison de sa lucidité. Face à l'Allemagne la France échappait, comme par enchantement, au règne moderne de la panmuflerie, et – honneur contre domination, système chevaleresque contre système de l'empire – la manière française de faire la guerre se trouvait parée des plus antiques et des plus nobles vertus.

Ce n'est donc pas, comme le veut la postérité, la critique radicale du monde moderne qui a conduit Péguy aux débordements du nationalisme guerrier, c'est, comme l'a bien vu Romain Rolland, d'avoir arrêté cette critique trop tôt pour l'amour de la patrie. Bref, malgré les apparences stylistiques ou psychologiques, l'exaspération antiallemande de Péguy et sa fureur antimoderne ne procèdent pas de la même inspiration. La première ne cesse de lui faire oublier ce que lui a révélé la seconde.

Si le XXe siècle se résumait à la Grande Guerre, si son essence ou sa vérité se manifestaient dans cet événement, il faudrait en rester là. Mais un autre désastre a eu lieu qui tout à la fois continue le premier et le contredit et qui, aussi allergique soit-on à l'exaltation belliqueuse de Péguy, donne aux anachronismes les plus outranciers de *L'argent suite* un retentissement étrangement prémonitoire. Péguy est un visionnaire coriace : alors même que le coup de Tanger semble lui avoir fait perdre toute mesure, c'est le coup de Munich qu'évoque au lecteur contemporain pourvu d'un minimum de sensibilité historique l'antithèse entre le système *paix* et le système *droits de l'homme.*

Que la paix est un absolu; qu'elle doit être défendue sans aucune réserve; que le sacrifice n'est pas la possibilité ultime de l'humain mais la déshumanisation finale de l'homme, sa dégradation au rang de matière esclave et corvéable; que nulle cause, en conséquence, ne mérite qu'on risque pour elle sa vie : telle est la leçon tirée par nombre de survivants de leur calvaire et du nom humiliant de « poilus » dont on les avait gratifiés. La tourmente destructrice de 14-18 ayant consommé le divorce entre *bellum* et *duellum* et ayant anéanti le rêve d'une guerre chargée de raison, de morale, et de droit, ils jurèrent qu'on ne les y reprendrait plus.

Avoir la paix, ce mot dont Péguy disait qu'il était

le grand mot de toutes les lâchetés civiques et intellectuelles, devient alors la devise de l'insoumission. Maintenant que la guerre a été vidée de ses prestiges, ce n'est plus le bourgeois, c'est le rebelle qui se définit par la dispense de courage militaire et qui promeut la vie au rang de valeur suprême. C'est Félicien Challaye, l'ancien collaborateur des *Cahiers de la Quinzaine* dénonçant « le bellicisme revanchard [47] » dans lequel était tombé Péguy dans sa quarantième année, et s'exclamant : « De 1914 à 1918, nous avons été trompés. J'ai été trompé. Les gouvernements ne me feront plus le coup de la guerre défensive. Je proclame le devoir de ne participer à aucune guerre quelle que soit son apparence [48]. » C'est Céline écrivant dans *Les beaux draps* : « Rien ne coûte du moment qu'il s'agit de durer, de maintenir. » C'est Cocteau et son « Vive la paix honteuse! ». C'est Giono affirmant, au lendemain des accords de Munich : « Le seul acte révolutionnaire valable et honnête au monde, c'est d'éclairer les vérités. En voici une toute simple, tout enfantine née le mercredi 28 septembre 1938 à dix heures du matin : " Il vaut mieux être vivant que mort. " Elle est encore tout embourbée des glaires de sa naissance; telle qu'elle est là, elle n'est pas grand-chose. Mais elle est née et l'univers entier l'accablerait de son poids qu'il ne pourrait pas faire qu'elle ne soit pas née [49]. » C'est enfin et surtout, au nom de cet individualisme radical et de ce patriotisme de la peau, la longue, l'interminable litanie des refus de *mourir*

pour : pour l'Éthiopie, pour la Rhénanie, pour les républicains espagnols, pour les Tchèques, pour Dantzig, pour les Juifs et même, en dernière instance, pour la liberté : « Si une nouvelle conflagration devait encore se produire, écrit encore Félicien Challaye, le monde ressemblerait à un cimetière. La légitime défense n'aurait plus aucun sens. Il deviendrait absurde de mourir pour la patrie, la justice, la démocratie, l'indépendance nationale [50]. »

Et l'on entend, du côté de *L'Action française*, un son de cloche à peine différent. Dénonçant eux aussi les boutefeux, Maurras, Léon Daudet et les autres mettent leurs compatriotes en garde contre toutes les formes du *mourir pour*. « Pas une veuve, pas un orphelin pour les Tchèques » : les bellicistes à tous crins d'hier sont devenus des isolationnistes acharnés. Leur jusqu'au-boutisme a cédé la place à la conciliation, et le Juif a, si l'on peut dire, suivi le mouvement : répondant au temps de l'Affaire du crime de trahison et d'intelligence avec l'ennemi, il est maintenant accusé de conspirer contre la paix; espion à la solde des Allemands sous le nom de Dreyfus, le voici, sous le nom de « Blum-la-guerre », déterminé à attaquer l'Allemagne par vrais Français interposés : « Ce n'est plus Jacques Bonhomme, c'est, paysan ou ouvrier, Jacques Couillonné, le cobaye de la démocratie sanguinaire qui doit aller crever sur un signe de tête d'un Juif qui l'a en horreur dans un obscur et lointain patelin dont il n'a pas la moindre notion [51]. » Non que les nationalistes aient été convertis au pacifisme irénique par la boucherie de 14-18; non que la dernière guerre ait disqualifié pour eux les vertus martiales et qu'à l'instar du syndicat des instituteurs, ils préfèrent dans tous les cas « une gifle sur la figure plutôt que des balles dans la peau [52] ». Les circonstances simplement ont changé : ils avaient appelé aux armes avant 1914 pour la reconstitution de l'intégrité du territoire national. S'étant assurés du bien de la famille, c'est pour ne pas le mettre en jeu dans des aventures inconsidérées qu'ils marchent désormais avec les inconditionnels de la non-violence.

Mais cette alliance n'est pas seulement conjoncturelle. Certes, tout sépare, à première vue, Maurras de Giono. Le premier soutient que, dans l'ordre des réalités, il y a d'abord les nations, et le second ne reconnaît pas d'autre réalité que celle de l'individu. Le premier réclame la soumission des parties à l'ensemble, le second proclame leur indépendance. La source du mal, si l'on en croit Maurras, c'est le relâchement de l'emprise communautaire; aux yeux de Giono, c'est son renforcement. Pour reprendre la distinction désormais canonique de Louis Dumont, Maurras souscrit à l'idéologie holiste qui valorise la totalité sociale et néglige ou subordonne l'individu, et Giono adhère à l'idéologie individualiste qui valorise le sujet humain comme être autonome et subordonne la société à ses besoins. Il reste que Péguy avait raison de ne pas s'en tenir à cette querelle de préséance : leur collusion munichoise atteste qu'il existe bien, comme il l'avait pressenti, une parenté ontologique entre le nationalisme intégral et l'individualisme absolu. Ces deux doctrines s'opposent catégoriquement sur ce qui est, mais à partir d'une identique définition de l'être. Être, c'est vivre, il n'est d'autre bien que la vie, et vivre, c'est pour chaque vivant s'efforcer à sa propre conservation. Maurras ne cesse d'affirmer la priorité de la nation sur l'individu mais en même temps – et c'est tout le sens de son fameux « Politique d'abord ! » – il attribue à la nation les mêmes traits distinctifs, les mêmes prérogatives que les libéraux au sujet humain. La France dont il se veut l'interprète et le champion est une pure persévérance vitale en quête des choses nécessaires au maintien et à l'accroissement de son être, ne laissant entrer en soi que le souci de soi, faisant de la raison un usage exclusivement instrumental, sachant, quand du moins elle est maîtresse d'elle-même, concevoir, traiter et résoudre les problèmes qui l'assaillent en fonction de son intérêt. « Rien n'est contraire aux mystiques françaises, comme les politiques de l'Action française », écrivait Péguy en juillet 1914, à quelques jours seulement de la mobilisation. Et Maurras confirme, en 1939, par ces mots : « *La seule France* ou, si l'on aime mieux, *la France seule,* tel est l'axiome fondamental [53]. » Or qu'est-ce que « la France seule » sinon l'axiome individualiste transposé à l'échelle de la patrie ? Et qu'est-ce, en fin de compte, que Vichy sinon le triomphe, dans ses deux versions individualiste et nationaliste, de cet axiome fondamental ?

D'une part, en effet, la vie suivait son cours. Rien ne s'était arrêté : les gens, dans leur majorité, vaquaient à leurs affaires. L'Occupation se monnayait en occupations quotidiennes ou frivoles. Comme l'écrit Jankélévitch avec une inapaisable stupeur : « Les trains circulaient. Les bourgeois allaient en vacances et aux sports d'hiver. Les conférenciers faisaient leurs conférences[54]. » D'autre part, la France était invitée à prendre une cure de réel, à rejeter les idées abstraites et à retourner à la terre qui, elle, au moins, ne ment pas, puisque rien dans son être ne déborde ou ne transcende cet être.

Le même réalisme doctrinal est donc à l'œuvre dans la défense de la raison d'État à l'époque de l'Affaire et, quarante ans plus tard, dans l'apologie de la collaboration. Il s'agit ici et là de ne pas lâcher l'être pour les principes. Aussi Bernanos, dans *Le scandale de la vérité,* reprend-il tout naturellement l'argumentaire de *Notre jeunesse,* lorsqu'il veut dénoncer l'ardeur munichoise de Maurras, son « À bas la guerre! » hargneux, la volonté qui l'anime de dégager la France de ses obligations, et la gratitude qui le conduit à retirer en faveur de Neville Chamberlain la candidature qu'il posait tous les ans au prix Nobel de la paix. Le théoricien du nationalisme veut que la France *soit* et considère toutes choses dans la perspective de cette exigence vitale. Mais à être seule, à être *seulement,* à défendre son patrimoine comme s'il ne s'agissait que d'une propriété matérielle, à donner congé sous le nom de nuées à l'honneur et à la justice, la France se trahit, la France se met en état de péché mortel, écrit, citations de *Notre jeunesse* à l'appui, celui qui fut pourtant le compagnon de Maurras et le disciple affectueux de Drumont. Et, ajoute Bernanos, le succès du réalisme vient précisément de cette profanation des valeurs surhumaines de la vie : « Le réaliste rabaisse la vie pour vous épargner la peine de la surmonter. Il ne vous suffit plus que de vous laisser tomber dans la vie les pieds joints. Le zèle qu'assume auprès de vous l'homme pratique, positif, est exactement le même que celui de l'adolescent trop précoce – si précoce qu'il ne s'arrêtera plus de pourrir – auprès de jeunes compagnons à qui, dans un coin sombre, il apprend ce que c'est que l'amour – rien que ça mon vieux – avec des gestes. Le monde est aux mains de ces aigres potaches. Le leur laisserons-nous [55]? »

Deux ans plus tard, ces aigres potaches exerceront leur mainmise sur la France et sur Péguy. Debout le mort! diront-ils, non plus cette fois pour chanter le carnage, mais pour transfigurer l'abaissement national en renaissance de la nation. À partir de son amour de la terre et des mondes anciens, ils confectionneront un Péguy sur mesure, un Péguy exclusiviste, bien-pensant et gâteux qu'ils mettront au service de leur idée de la France ou, pour être plus précis, de leur volonté de rendre la France à elle-même en la libérant de la domination de l'idée. C'est avec Péguy pour emblème et pour caution qu'ils censureront *tout ce qui dans le sentiment national excède l'égoïsme collectif.* C'est – admirable tour de force – sous le parrainage du prophète de la mystique républicaine qu'ils applaudiront à l'abandon de la République. C'est au penseur de « la mystérieuse insertion » de l'esprit dans la chair du monde qu'ils demanderont de consacrer la rupture définitive du charnel et du spirituel. C'est au philosophe de l'*incarnation* qu'avec Henri Massis ils rendront grâce de leur avoir réappris la France, « une

France faite de pays et de personnes, de tout un grand peuple vivant, réel [56] ». C'est sur une œuvre et sur une vie tout entières hantées par le *salut de la terre* qu'ils fonderont leur consentement empressé à l'immanence et à la toute-puissance du principe de réalité.

Bernanos s'est élevé en termes inoubliables contre « l'annexion du plus héroïque de tous les Français depuis Corneille au parti de la Déroute, à l'abjecte mystique de l'expiation par le déshonneur [57] ». En vain. L'inoubliable a été oublié. Bernanos crie dans le désert en papier bible des éditions de la Pléiade. Convaincue qu'en devenant « patriotard » l'ancien dreyfusard a tourné le dos aux valeurs démocratiques et s'est définitivement coupé des siens, la postérité a entériné, sans coup férir, l'annexion de Péguy par Vichy. Elle voit même dans ce geste la preuve que Benda avait raison d'assimiler Péguy à Maurras et Barrès. Et Péguy est aujourd'hui une station obligée dans toutes les généalogies de la honte : il n'y a pas d'histoire des idées malfaisantes qui ne mène ou, au moins, ne s'arrête à lui; il n'y a pas d'enquête sur les origines du pétainisme qui ne remette en cause sa nostalgie du travail artisanal et son chauvinisme furibond.

Mais qui sait encore que la résistance se réclamait du patriotisme de Péguy? Qui se souvient d'ailleurs que les résistants étaient des patriotes et qu'ils dénonçaient, au nom de la nation, l'imposture de la révolution nationale? Qui a en mémoire le tract publié par *Les Lettres françaises,* repris ensuite avec une préface de Vercors par les Éditions de Minuit et dans lequel figuraient, à côté d'un long texte de Gabriel Péri, plusieurs extraits de l'œuvre de Péguy, dont ce passage de *L'argent suite,* son œuvre de nos jours considérée comme la plus frénétique et la moins fréquentable : « C'est aller au-devant de la défaite, c'est vouloir délibérément la défaite et la capitulation que de mettre et de laisser aux plus hauts postes de commandement, aux plus hautes situations de gouvernement, des hommes qui ont dans la moelle même le goût et l'instinct et l'habitude invétérée de la défaite et de la capitulation [58] » ? Pour la plupart de nos contemporains, l'histoire moderne se résume à l'affrontement de l'Individu et du Tout. Ou bien la totalité prime et c'est, comme son nom l'indique, le totalitarisme, dont Vichy, sous son apparence bonasse, constitua la version française. Ou bien, au contraire, l'individu passe avant, et c'est la vie dans la liberté. Ou bien la collectivité est souveraine en la personne de l'État, ou bien l'État reconnaît la souveraineté de la personne. Rien de ce qui a été fait ou pensé dans les deux derniers siècles n'échappe désormais à cette alternative. Et l'individu Péguy ayant été saisi en 1905 par la cause de la nation, la postérité reconnaît en lui le père de la révolution nationale, alors même qu'avant l'accord scellé à Munich et confirmé par la collaboration entre le nationalisme intégral et l'individualisme absolu, il avait, le premier, perçu leur essentielle connivence.

CHAPITRE IV

L'humanité précaire et le socialisme

Si Péguy n'est pas un transfuge, s'il n'a pas échangé Jaurès contre Barrès, si, comme on a tenté de le montrer, il n'est pas passé à l'ennemi en découvrant le prix d'une patrie charnelle, alors il convient de prendre au sérieux, au lieu de les prendre de haut, les raisons qui l'ont conduit à se séparer de ses premiers amis, lui qui, dans sa jeunesse, marchait avec les socialistes et poussait même l'abnégation militante jusqu'à démissionner en 1897 de l'École normale supérieure pour fonder au Quartier latin une librairie révolutionnaire avec les quarante mille francs que sa femme, Charlotte Baudoin, lui avait apportés en dot.

Première évidence, chronologique : l'entrée en dissidence de Péguy est antérieure à sa redécouverte de la foi et de la nation. Très vite, le gérant des *Cahiers* a commencé à jouer contre son camp. À peine engagé, à peine *établi*, il est devenu une sorte de *rebelle de la révolution*, et dès le déclenchement de l'Affaire, il a consacré la majeure partie de ses écrits socialistes à une explication avec toutes les tendances du socialisme officiel. Notamment ces trois petits dialogues au titre cocasse, parodique et sans prétention philosophique apparente : *De la grippe, Encore de la grippe, Toujours de la grippe.*

Nous sommes en 1900. Péguy qui a vingt-sept ans vient d'être terrassé par une épidémie de grippe, et il s'entretient avec celui qu'il appelle drôlement le « citoyen docteur socialiste, révolutionnaire, moraliste, internationaliste ». Fluide, mais sans aucun arbitraire, la conversation évolue entre l'anecdote personnelle, la réflexion politique et la haute spéculation. Le vrai convalescent et son médecin imaginaire parlent de la maladie de Péguy : ce virus était déjà banal, prosaïque, plébéien, nul halo romantique ne transfigurait en fièvre intérieure les brusques poussées de température qu'il infligeait à ses hôtes; ce n'est pas de la grippe que l'on mourait à Venise ou sur la Montagne magique, mais on pouvait néanmoins en mourir – ou, en tout cas, de ses complications (pleurésie, broncho-pneumonie) dans ces temps reculés qui n'avaient pas encore découvert les antibiotiques. Les deux interlocuteurs s'inquiètent également de l'état de l'humanité et, enfin, ils commentent les dialogues philosophiques de Renan. Dans ces pièces alors célèbres et qu'il avait composées à Versailles pendant la Commune, l'auteur de *La prière sur l'Acropole* mettait en scène les « pacifiques », discussions auxquelles avaient coutume « de se livrer entre eux les différents lobes de son cerveau [1] ». Affublés chacun d'un nom grec à la signification transparente, les lobes en question s'exprimaient sans contrainte. Conséquence de cette levée des inhibitions : « Les réactionnaires les plus dangereux n'ont jamais prononcé sur tout ce que nous aimons, sur tout ce que nous préparons, sur tout ce que nous faisons, sur tout ce pour quoi nous vivons, des paroles aussi redoutables [2] » que Théoctiste, par exemple. « En somme », proclamait, dans le dialogue le plus débridé, le personnage dont le nom veut dire « celui qui fait la fondation de Dieu », « l'essentiel est moins de produire des masses éclairées que de produire des grands génies et un public capable de les comprendre. Si l'ignorance des masses est une condition nécessaire pour cela, si l'ignorance des masses est une conséquence nécessaire pour cela, tant pis. La nature ne s'arrête pas devant de tels soucis; elle sacrifie des espèces entières pour que d'autres trouvent les conditions essentielles de leur vie [3] ».

Au lieu de vivre dans le deuil éternel d'une tradition perdue, ce Versaillais peu banal confie à la *science* et projette dans l'*avenir* l'accomplissement de son grand rêve hiérarchique. Indignés par cette conception du progrès, le docteur et son malade lui opposent d'une seule voix la *promesse d'émancipation* qui s'incarne alors dans les universités populaires et dont on trouve chez Jaurès la définition la plus saisissante : « Le socialisme veut que l'univers tout entier soit l'univers familier de l'humanité tout entière. » Chez Jaurès, mais aussi chez Renan. Ou, du moins, dans le Renan de *L'avenir de la science*. Ce texte, écrit au lendemain de la révolution de 1848 mais prudemment publié quelque quarante ans plus tard, conjugue, en effet, le rêve du savoir total et celui de l'universelle émancipation. « L'État, écrit-il, doit au peuple la religion, c'est-à-dire la culture intellectuelle et morale, il lui doit l'école, encore plus que le temple [4]. » Et à l'intention de M. de Falloux qui s'étonnait que le tiers état de 89 eût songé à *« venger des pères qui ne s'étaient pas trouvés offensés »*, il répond avec superbe : « Cela est vrai; et ce qu'il y a de plus révoltant, ce qui appelait surtout la vengeance, c'est que ces pères, en effet, ne se soient pas trouvés offensés [5]. » Il faudra les chocs successifs du plébiscite de Louis-Napoléon, de la défaite de 70 et de la Commune pour que Renan, renonçant à voir les hommes et l'humanité avancer de concert, abandonne l'idéal démocratique et concentre son espérance sur le seul perfectionnement de l'esprit : « Ma religion, c'est toujours le progrès de la raison, c'est-à-dire de la science. Mais souvent, en relisant ces pages juvéniles, j'ai trouvé une confusion qui fausse un peu certaines déductions. La culture intensive, augmentant sans cesse le capital des connaissances de l'esprit, n'est pas la même chose que la culture extensive, répandant de plus en plus ces connaissances, pour le bien des innombrables individus qui existent [6]. » Maintenant que cette équivoque juvénile est levée, Renan mise tout sur une seule couleur : il sacrifie l'extensif à l'intensif, c'est-à-dire le catéchisme des Lumières à leurs accomplissements, allant même jusqu'à faire dire à Théoctiste, son double divagant et libre : « Convertir à la raison les uns après les autres, un à un, les deux milliards d'êtres humains qui peuplent la terre! Y pense-t-on? L'immense majorité des cerveaux humains est réfractaire aux vérités tant soit peu relevées [...] Il faut avouer que nous ne concevons guère la grande culture régnant sur une portion de l'humanité, sans qu'une autre portion y serve et y participe en sous-ordre. L'essentiel est que la grande culture s'établisse et se rende maîtresse du monde, en faisant sentir sa bienfaisante influence aux parties moins cultivées [7]. » Il y a donc au moins deux Renan. Péguy le sait, qui est très attentif, dans ses dialogues sur les *Dialogues,* à ne pas imputer à l'auteur de *L'avenir de la science* les opinions férocement inégalitaires que professent « dans une des parties les plus reculées du parc de Versailles » les personnages de ses *Dialogues.* Et lorsque, pour dire son fait à cet élitisme sans vergogne et sans entraves, le citoyen grippé rappelle solennellement la nécessité de « donner au peuple cette culture que nous lui devons, que nous n'avons pas toute, que nous recevrons et que nous nous donnerons en la lui donnant [8] », c'est à l'homme qui a écrit : « La morale, comme la politique, se résume donc en ce grand mot : élever le peuple [9] » qu'avec l'approbation du citoyen docteur, il fait explicitement référence. Pour le dire d'un mot, Péguy socialiste pense avec Renan contre Renan.

Se serait-il arrêté à cette réfutation, Péguy n'aurait eu aucune raison autre que psychologique de rompre avec ses premiers amis, et il n'y aurait pas, en souffrance dans son œuvre, une possibilité oubliée du socialisme. Mais il n'en est pas resté là. Après avoir lu ensemble, dans *La Petite République*, l'allocution prononcée par Anatole France à la fête inaugurale de l'université populaire du premier et du deuxième arrondissement, et un article de Jaurès « bref et significatif » portant sur le même sujet, nos deux citoyens reviennent aux *Dialogues philosophiques* de Renan. Et si le ton de leurs attaques reste aussi mordant, le contenu, subrepticement, a changé. Ce qui est maintenant visé, ce ne sont plus les constructions tyranniques dont Théoctiste s'enchante, c'est l'enchantement lui-même; ce n'est pas le caractère versaillais de son utopie, c'est son caractère sidéral; ce n'est pas que son rêve soit un cauchemar, c'est que ce soit un rêve, et pire même une religion : « Ne soyons pas religieux, même avec Renan [10]. »

En lui-même cet adjectif n'est pas insultant. Le Renan républicain et l'aristocrate se retrouvent même dans l'apologie de la foi nouvelle qui a remplacé le catholicisme ruiné. L'orgueil commun aux *Dialogues* et à *L'avenir de la science* est d'avoir rapatrié ici-bas l'espérance placée dans l'au-delà par les époques anciennes en montrant que la mission de l'humanité était de conquérir progressivement les attributs divins de l'omniscience et de l'omnipotence. Mais ce que dit Péguy – et là réside l'offense –, c'est qu'il n'y a pas de nouveauté. Du point de vue *des* hommes *d'aujourd'hui* (le pluriel compte ici autant que le présent), les libres penseurs scientistes disent la même chose, chantent la même berceuse que jadis les hommes d'Église, à cette seule différence près que le rôle du ciel est désormais tenu par l'avenir. Et ils sont tributaires de la même ontologie. Assurément, les modernes se distinguent des anciens – philosophes ou religieux – en ce qu'ils confèrent au temps une signification positive : « Autrefois, écrit à juste titre Renan dans *L'avenir de la science,* tout était considéré comme *étant*; on parlait de droit, de religion, de politique, de poésie d'une façon absolue. Maintenant tout est considéré comme en voie de se faire [11]. » Regardée de près néanmoins, cette révolution consiste simplement à faire du devenir le théâtre de l'être, à reconnaître la nécessité sous la contingence ou, pour le dire sur un mode hégélien, à célébrer la vie de l'absolu dans la ruine de toutes les choses finies. Bref, le continent historique que les modernes se flattent d'avoir découvert est investi des qualités mêmes que les anciens allaient chercher dans l'univers suprasensible des Idées. Il y avait un autre monde au-dessus ou au-delà du monde; au-dessus des personnes singulières, il y a désormais l'humanité. Comme le dit encore Renan : « L'idée de l'humanité est la grande ligne de démarcation entre les anciennes et les nouvelles philosophies. Regardez bien pourquoi les anciens systèmes ne peuvent plus vous satisfaire, vous verrez que c'est parce que cette idée en est profondément absente [12]. » Et comme il ne le dit pas, cette idée perpétue, en la déplaçant, en la faisant jouer ailleurs et autrement, l'antique subordination de l'éphémère à l'éternel. Ce qui passe, c'est l'homme; ce qui ne passe pas mais progresse, c'est l'Homme. Ce qui est éternel, c'est « l'armée immense s'avançant à la conquête du parfait [13] »; ce qui est éphémère, ce sont les soldats de cette immense armée. Même si les modernes se font une autre idée du Tout que les Éléates, aujourd'hui comme autrefois, les individus meurent, le Tout demeure. Aussi terrestre qu'elle se veuille, la philosophie nouvelle conteste les angoisses de la terre, selon la formule de Franz Rosenzweig, et, fidèle à son immémoriale vocation, s'échappe par-dessus la tombe qui s'ouvre sous les pieds à chaque pas : « Qu'importe, s'exclame triomphalement Renan, que l'humanité meure avant d'avoir institué la raison? qu'importe que mille humanités meurent? Une humanité réussira [14]. »

De la grippe, Encore de la grippe, Toujours de la grippe : ces trois dialogues définissent l'attitude révolutionnaire par opposition à toutes les métaphysiques – religieuses ou spéculatives, anciennes ou modernes – qui s'efforcent de retirer à la mort son dard venimeux : « Et quand on se fonde, citoyen, sur l'immensité des rêves éternels pour me distraire de la considération des mortalités prochaines, je résiste invinciblement. Et quand on se fonde sur l'immensité de l'espérance éternelle pour me consoler de la prochaine épouvante, je refuse. Non pas que l'inquiétude et l'angoisse ne me soient douloureuses, mais mieux vaut encore une inquiétude ou même une épouvante sincère qu'une espérance religieuse [...] Quittons, docteur, je vous en prie, quittons la morale astronomique, et soyons révolutionnaires [15]. »

Être révolutionnaire, dans cette acception, ce n'est donc pas *rêver* d'un monde meilleur, mais *se réveiller* de tous les rêves, redescendre du ciel vers la terre, de l'immortalité vers la finitude et la mort et de l'avenir radieux (quel qu'en soit le contenu ou le programme) vers l'ici et maintenant concret. Le révolutionnaire est celui qui ne se laisse pas plus endormir par la promesse des lendemains qui chantent que par l'espérance du paradis. Travaillant, dit Péguy, « dans les misères du présent [16] », il est, comme écrira Horkheimer dans la même veine, « avec les désespérés qu'un jugement envoie au supplice et non avec ceux qui ont le temps [17] ». Pourquoi le révolutionnaire n'a-t-il pas le temps? Parce qu'il a peur. La peur, l'épouvante, est sa qualité distinctive et déterminante. Il perçoit dans le monde une dimension, celle du redoutable, et rien n'y fait : ni la foi, ni la philosophie, ni la science n'ont le pouvoir de l'en détourner. Incapable d'escamoter la mort par le spectacle imposant de la totalité, le révolutionnaire ne voit pas plus loin que le bout de la vie. Trop terre à terre pour prendre de l'altitude, trop absorbé par ce qui se passe à la surface des choses pour contempler ce qu'il y a derrière, en avant ou au-dessus, ce dialecticien grippé, ce handicapé métonymique, ne sait pas faire du présent une étape, une anticipation fragmentaire de l'ultime plénitude, ni de l'individu un soldat de l'humanité. Tandis que le métaphysicien ne garde et ne regarde que l'essentiel, c'est l'accidentel qui le regarde, c'est au donné immédiat qu'il donne tout son temps, c'est aux chutes de la métaphysique, aux laissés-pour-compte de la pensée spéculative que va sa sollicitude. Du point de vue de l'Histoire en train de se faire, le mal n'est qu'une péripétie, une grippe passagère et sans importance, lui soufflent, consolateurs, Renan et les « savants religieux [18] » de ses dialogues; buté, obnubilé, réfractaire à toute consolation, il en appelle à la grippe comme Danton naguère à l'audace, car « les grands détenteurs de courage [19] » aujourd'hui ne sont pas ceux qui ont peur ou ceux qui font peur, mais ceux qui, voyant le monde d'en haut, déclarent avec assurance qu'il n'y a pas lieu de s'inquiéter. C'est l'épouvante, en d'autres termes, qui fait les audacieux.

Mais cette défense et illustration de la *myopie révolutionnaire* – « préparons dans le présent la révolution de la santé pour l'humanité présente [20] » – fait encore la part trop belle au métaphysicien. Si elle le condamne au nom de l'urgence morale, elle lui laisse la haute main sur la théorie. Péguy ne peut se résigner à un tel compromis : il le dénonce, à peine en a-t-il fixé les termes, et retire le dernier mot à l'idée que la peur nourrit l'action dans la mesure même où elle paralyse la spéculation. Tout en revendiquant ses œillères face aux visions globalisantes de Renan, il s'emploie à prouver que c'est lui, le travailleur par quinzaines, qui est clairvoyant et Renan, le contemplatif, qui porte des œillères. Tout en donnant du révolutionnaire une définition négative – l'homme qui ne veut pas savoir –, il remet en question la pertinence et la validité du savoir qu'on lui oppose. De l'épouvante, il affirme à la fois qu'elle borne salutairement son horizon, et qu'elle lui ouvre l'accès au réel. Pourquoi est-il aussi affecté par le massacre des Arméniens ou par la transformation coloniale de l'Afrique en « champs d'horreur, de sadisme et d'exploitations criminelles [21] »? Parce que des hommes, ici et là, meurent en masse et en vain. Parce que la mort est à l'œuvre sans qu'il soit possible de faire œuvre de la mort : « Il n'y a pas de rachat. Ceux qui sont morts sont bien morts. Ceux qui ont souffert ont bien souffert [22]. »

Le révolutionnaire n'est donc pas moins capable que l'« enchanteur » de s'élever à la vision de l'humanité. Mais il la voit, au même titre que l'individu souffrant, « *sub specie mortalitatis* [23] », au lieu de conjurer en elle et dans son grandiose déploiement l'apparente absurdité des souffrances individuelles. Ce que l'épouvante lui dévoile, c'est une humanité qui n'est pas à l'image de Dieu mais de ceux qui la composent, une humanité elle-même précaire et périssable, une humanité en proie à la grippe, une humanité dépouillée des privilèges métaphysiques qu'avait cru pouvoir lui conférer Renan.

Décrit d'abord comme un idiot de la philosophie, le révolutionnaire est, en fait, philosophe : philosophe de la grippe, pour être précis. Alors que, par-delà tout ce qui les oppose, les philosophes anciens de l'être et les modernes philosophes du devenir érigent en Souverain Bien la contemplation de l'impérissable (que celui-ci ait nom cosmos, ciel des Idées ou Humanité en marche), le monde se dévoile au révolutionnaire dans sa douleur et sa fragilité. La pensée, en lui, ne raisonne pas l'angoisse, elle angoisse la raison. Elle ne lui dit pas que l'homme véritable est à venir et qu'il viendra; elle lui dit : « Il n'y a pas d'humanité de rechange. » Elle ne lui présente pas, pour conjurer la mort, l'appât de l'absolu, de la béatitude future ou de l'éternité. Elle l'invite, en lui montrant l'histoire sous l'aspect de la mortalité, à une perpétuelle réparation, à une remédiation perpétuelle [24].

Cette adresse à Renan, on l'a déjà compris, n'a pas Renan pour seul destinataire. En opposant, comme il le fait, la révolution au progressisme, Péguy engage délibérément les hostilités avec ceux, et ils sont légion, qui tiennent la révolution pour une radicalisation du progrès. Par-dessus l'épaule de Renan, il répond au député socialiste allemand qui, pendant les massacres d'Arménie, confiait à Félicien Challaye : « Nous ne sommes pas emballés dans toute cette affaire comme les députés français; nous étions mieux informés, nous savions, nous, que c'étaient les Arméniens qui étaient les capitalistes [25]. » Il répond à Wilhelm Liebknecht, à Guesde, à Vaillant, à Lafargue, à tous les socialistes qui, deux ans plus tôt, pressaient les prolétaires de rester en dehors de l'affaire Dreyfus, cette guerre civile entre « patriotards » et « justiciards » bourgeois. Il répond à Lucien Herr, qui fut pourtant, tout au long de ses années d'École normale, son mentor politique, l'intercesseur, avec Jaurès et Andler, de sa conversion au socialisme, et qu'il définira encore dans *L'argent suite* comme « l'un des maîtres de notre jeunesse, assurément le plus pur et le plus confident [26] ». Mais le maître et le disciple venaient d'entrer en conflit. Le congrès des organisations socialistes de décembre 1899 ayant voté une motion qui soumettait les organes de presse au contrôle du Comité général,

Péguy ulcéré avait décidé de fonder les *Cahiers de la Quinzaine* pour maintenir la liberté de discussion à l'intérieur du mouvement révolutionnaire. Il était donc allé demander aide et soutien au conseil d'administration de la Société nouvelle de librairie et d'édition qui s'était constituée quelques mois auparavant à l'initiative de Lucien Herr pour sauver sa librairie de la faillite. Visite de routine, simple formalité : dreyfusards de la première heure, Herr et ses quatre associés, parmi lesquels Blum et Simiand, n'avaient pas dénoncé les sophismes et la brutalité de la raison d'État pour se soumettre sans réagir aux diktats de la raison de parti ! Tel fut pourtant le cas : le groupe des Cinq pensait que, pour remplir leur mission historique, les socialistes devaient impérativement surmonter leurs discordes. Aussi entendait-il appliquer scrupuleusement la résolution du congrès sur l'unité. Et Péguy se heurta à une fin de non-recevoir formulée en ces termes par le bibliothécaire de l'École normale supérieure : « Vous êtes un anarchiste, nous marcherons contre vous de toutes nos forces. »

Si Lucien Herr marche avec cette implacable détermination contre Péguy, c'est parce que Péguy, avec ses cahiers de renseignements, menace de marcher contre l'histoire. Si le député socialiste allemand plus malin que les Français, et si les socialistes français antidreyfusards refusent de se laisser émouvoir, l'un par la souffrance infligée aux Arméniens, les autres par l'injustice commise contre un capitaine juif, c'est parce que ce peuple et ce capitaine appartiennent à une classe qui a fait son temps, à une humanité qui n'a plus aucun rôle à jouer dans l'histoire. Loin donc d'avoir quitté la morale astronomique, les socialistes que Péguy rencontre sur son chemin se sont engagés dans le monde pour la mettre en application. Ils ne sont pas révolutionnaires par inquiétude, mais par impatience. Ils n'agissent pas sous l'aiguillon de l'épouvante et pour remédier aux dévastations de l'histoire, mais dans le souci de la mener plus vite à son terme glorieux. Ils se font certes une tout autre idée que Renan de la fin de l'histoire : rien ne leur est plus odieux, rien n'est plus étranger à leurs aspirations égalitaires, que la thèse complaisamment développée dans les *Dialogues philosophiques* d'un triomphe oligarchique de l'esprit. Ne confient-ils pas à ceux-là même que Théoctiste veut, pour l'éternité, maintenir en esclavage, le soin de conduire l'humanité à son ultime destination ? Avec Renan, cependant, ils pensent « comme Hegel que Dieu n'est pas, mais qu'il sera [27] ». Sous le nom d'humanité, c'est ce Dieu qui les subjugue, c'est lui qu'ils voient naître quand ils regardent derrière eux et qu'ils voient s'accomplir quand ils regardent devant, c'est sous son étendard qu'ils combattent, c'est à lui qu'ils ont juré obéissance en entrant dans la voie de la révolution.

Et Jaurès ? Jaurès ne fait-il pas exception au socialisme astronomique, n'échappe-t-il pas à l'enchantement de l'histoire ? Péguy l'a cru longtemps; dans une étude commencée en août 1899 et publiée une quinzaine seulement avant *De la grippe,* il fait même de

Jaurès l'un des portraits les plus élogieux et les plus beaux dont celui-ci ait jamais été gratifié. Éloge d'un socialisme qui considérait que « de toutes les socialisations, la socialisation de la philosophie, de la science, de la culture humaine était la plus intéressante, la plus pressée, la plus impérieusement exigible [28] ». Et Péguy cite avec admiration tel plaidoyer de Jaurès à la Chambre pour un enseignement primaire qui ne soit pas enfermé dans les utilités immédiates : « Lorsqu'on voit que l'éducation des enfants de la bourgeoisie est conduite dès les premiers pas en vue d'une culture très haute et très générale [...] on a le droit de dire qu'on n'a pas encore fait pour les enfants du peuple tout ce à quoi ils ont droit [29]. » Éloge aussi du rapport conditionnel et mélancolique de Jaurès à la lutte des classes. Par *luttisme-de-classisme* les autres chefs socialistes se réjouissaient ouvertement des ignominies bourgeoises : plus la société ennemie s'enfonçait dans la pourriture ou la ruine, plus, à leurs yeux, se rapprochait l'échéance finale. Plus la classe dirigeante devenait injuste, plus devenait forte la classe ouvrière. Dans les abjections et les convulsions du présent, ils célébraient l'accouchement douloureux mais irréversible de l'humanité réconciliée. Rien de tel chez Jaurès, nulle joie mauvaise, nulle politique du pire : les turpitudes capitalistes compromettaient, selon lui, l'héritage du socialisme futur pour autant précisément qu'elles abîmaient l'humanité actuelle. La libération absolue ne pouvait en aucun cas venir de la corruption absolue. Moins (ou peut-être plus) dialectique que ses pairs qui voyaient le bien naître du mal et poindre la révolution dans la dégradation morale de la bourgeoisie, il savait, pour sa part, discerner le mal caché « sous un tel semblant de bien [30] ». Il se refusait à convertir un mauvais coup en avancée et il avait une connaissance trop exacte de la réalité vivante pour la recoder dans le langage triomphaliste de l'histoire ou pour croire, fût-ce sous sa forme « luttiste-de-classiste », à l'inéluctabilité du progrès. D'où sa réserve et sa mélancolie : Jaurès consentait à la lutte des classes, mais *sans y ajouter foi.* Et sans la laisser monopoliser son ardeur combattante. Alors que leur obsession même de la lutte conduisait nombre de chefs socialistes européens à prêcher la *non-lutte* dans les affaires d'Orient (pour ne pas faire le jeu de l'autocratie russe) et dans l'affaire Dreyfus (pour concentrer leur énergie révolutionnaire sur le seul combat qui vaille), Péguy rend grâce à Jaurès de ne pas s'être laissé insensibiliser par des formules et d'avoir sauvé deux fois l'honneur du socialisme : la première en dénonçant inlassablement le massacre des Arméniens, la seconde en démontrant implacablement dans ses « immortelles *Preuves* » l'innocence de Dreyfus : « Celui qu'on avait jusqu'alors presque involontairement surnommé le *grand orateur* y apparaissait sous un jour nouveau. Non pas qu'il eût cessé d'être un poète et un philosophe. Mais en outre, il apparaissait comme un dialecticien merveilleux, comme un impeccable logicien, d'une méthode incomparablement sûre. Ces articles resteront comme un des plus beaux monuments scientifiques, un triomphe de la méthode, un monument de la raison, un modèle de méthode appliquée, un modèle de preuve [31]. »

Mais ce portrait est resté inachevé. Et Péguy l'a

inséré dans une discussion, où déjà percent ses réserves, entre le « docteur socialiste révolutionnaire moraliste internationaliste » et celui qui n'est pas encore son malade mais qui le consulte déjà pour ses autres qualités. Depuis les *Preuves*, en effet, il y a eu le Congrès socialiste et les concessions qu'au nom de l'unité Jaurès a cru devoir faire aux antidreyfusards du mouvement. L'Affaire avait semblé mettre aux prises, au sein du monde socialiste, deux stratégies politiques, deux conceptions de l'humanité et deux manières d'envisager l'histoire rigoureusement antagoniste. À peine les partisans de la révision l'ont-ils emporté qu'il ne reste même plus trace de ce déchirement. Tout se passe comme si l'Affaire n'avait pas séparé vraiment ceux qu'elle a pourtant séparés avec tant de violence. L'antagonisme n'est pas travaillé, approfondi ou surmonté, mais annulé purement et simplement. Une seule philosophie demeure et ce n'est pas celle dont Péguy, dans son exercice d'admiration, créditait Jaurès. Qui perd gagne : au moment où commence la réhabilitation de Dreyfus, Péguy constate que le dreyfusisme, comme pensée et comme action, se meurt, et il voit Jaurès, le grand Jaurès, prendre part à cette décomposition. Ce qui sèche l'encre de l'éloge et l'amène à jeter un regard neuf sur un humanisme que naguère encore il plaçait plus haut que tout.

Lisons l'article « bref et significatif » de Jaurès sur les universités populaires intercalé par Péguy dans son commentaire des dialogues de Renan : « Dans l'ordre social aussi il y a une théologie : le Capital prétend se soustraire à l'universelle loi de l'évolution et s'ériger en force éternelle, en immuable droit. Le capitalisme aussi est une superstition car il survit, dans l'esprit routinier et asservi des hommes, aux causes économiques et historiques qui l'ont suscité et momentanément légitimé [...] Voilà pourquoi la science, en déroulant sous le regard des prolétaires les vicissitudes de l'univers et le changement incessant des formes sociales, est, par sa seule vertu, libératrice et révolutionnaire. Nous n'avons même pas besoin que les maîtres qui enseignent dans les universités populaires concluent personnellement et explicitement au socialisme. Dans l'état présent du monde, c'est la science elle-même qui conclut [32]. » Ce n'est pas *sub specie mortalitatis* et dans une perspective de détresse que parle ici Jaurès, mais sous l'aspect de l'évolution et dans la perspective heureuse de la raison qui fraye invinciblement son chemin. Il défend les vivants contre les survivants, le mouvement contre les moribonds, l'humanité en marche contre ceux qui ont fini leur mission et qui restent plantés là, au lieu de passer la main et de disparaître. Il n'est pas avec les désespérés qu'un jugement envoie au supplice, c'est le juge suprême qui s'exprime par sa voix et qui décrète que le capitalisme n'est plus désormais qu'un poids mort et une entrave à l'autoréalisation de l'humanité. Autrement dit, alors que Péguy prend contre la majesté de l'histoire le point de vue de la grippe, Jaurès prend contre la résignation le point de vue de l'histoire. Le premier combat la croyance dans la nécessité du progrès, le second combat la croyance dans la nécessité de ce qui est en déroulant le spectacle historique du changement continuel et de la justice immanente. Tandis que Péguy refuse de se laisser distraire de la misère humaine par les spéculations immenses, Jaurès s'y livre avec d'autant plus d'ardeur qu'elles conduisent tout droit au socialisme. Pour Péguy, être révolutionnaire, c'est frapper les ambitions prédictives de la pensée de la même inanité que les espérances religieuses, et c'est travailler par quinzaines. Pour Jaurès, même s'il ne croit pas à quelque « catastrophe libératrice [33] » et si, loin de tout luttisme-de-classisme, il défend l'héritage des anciennes humanités, être révolutionnaire, c'est hâter la venue d'un dénouement connu d'avance. Ce qui lui donne, en lieu et place de l'inquiétude et de l'épouvante dont Péguy se réclame, la même « sécurité » que celle qu'éprouve Renan à voir « qu'aucune vérité ne se perd, qu'aucune erreur ne se fonde [34] » et que l'histoire humaine n'est pas un mouvement sans raison mais « l'histoire d'un être, se développant par sa force intime, se créant et arrivant par des degrés divers à la pleine possession de lui-même [35] ».

Péguy, il est vrai, ne laisse rien entrevoir de sa divergence, sinon par le biais de cette exclamation énigmatique et furtive : « Oh! oh! docteur, voilà des paroles un peu fortes, surtout venues de Jaurès [36]. » Il semble même que l'article sur les universités populaires ne soit mis là que pour river son clou à Théoctiste et pour donner à son aristocratisme effréné la réponse égalitaire qui s'impose. En fait, c'est sous le coup de ce texte que la dénonciation de l'élitisme s'infléchit en remise en cause du progressisme. Jaurès n'est donc plus le Jaurès du portrait; Péguy a découvert que sa pensée avait le même socle métaphysique que celle de Renan.

La polémique se précise pendant les mois qui suivent pour s'étaler à ciel ouvert dans *Casse-cou,* le cahier que Péguy fait paraître le 2 mars 1901. Occasionné par une nouvelle « attaque un peu sérieuse de la grippe habituelle [37] », ce dialogue réunit nos deux protagonistes autour d'un article de Jaurès consacré à « la philosophie à la fois profondément évolutionniste et ardemment révolutionnaire du citoyen Vaillant [38] ». Pendant l'Affaire, c'est-à-dire deux ans à peine avant ce dithyrambe, Vaillant était, avec Lafargue et Guesde, l'un des trois grands chefs socialistes à la fois profondément évolutionnistes et ardemment révolutionnaires qui « ne voulaient pas que le socialisme français défendît les droits de l'homme et du citoyen parce que l'homme était un bourgeois » et qui, pour cette raison même, en étaient venus inévitablement à « défendre les bourgeois qui violaient ces droits », c'est-à-dire à « prendre leur part de la folie bourgeoise, de la tartufferie, du crime bourgeois [39] ». Et voici que Jaurès se range à « la belle conception moniste de Vaillant [40] » comme si de rien n'était, comme si cet épisode n'avait pas eu lieu, ou comme si, en tout cas, il n'avait aucune incidence philosophique; le voici qui traite à son tour et sous le patronage déshonorant de cet « inépuisable bafouilleur tiède [41] » la grande idée émancipatrice de l'humanité une sur le mode métaphysique d'une totalité englobante, d'un être unique poursuivant au-dessus des individus sa carrière subjective et accédant par étapes à la plénitude de son essence : « Prenez garde : à force de bonté, d'optimisme, c'est la Providence même que vous nous rétablissez. Vous finirez par nous avouer que tout revient au même parce que tout est dans les voies insondables de l'Un métaphysique [42]. »

Avertissement inutile, interpellation sans effet : c'est en pure perte que Péguy crie « Casse-cou ! » à Jaurès. Celui-ci est trop immergé dans la politique, il a trop de batailles à mener, trop d'alliances à passer, trop de problèmes urgents à résoudre, et trop de vrais rapports de force en tête pour prendre le temps d'examiner la mise en garde qui lui est adressée par le gérant d'une revue estimable mais confidentielle. Péguy ? Combien d'abonnés ? Jaurès persiste donc dans son optimisme jusqu'à ce mot quintessentiel confié quelques années plus tard à Bouglé : « Rien ne fait de mal. » Ce qui veut dire, traduit Péguy, qu'« une fatalité bienveillante [...] assurerait le progrès de la culture dans l'humanité par on ne sait quelle série automatique de déclenchements automatiques, [...] ferait le salut temporel de l'humanité par on ne sait quelle sériation automobile [43] ».

Avec cette hypothèse d'une logique immanente s'accomplissant à l'insu des individus « et, pour ainsi dire, dans leur dos [44] », Jaurès engage, après Marx, le socialisme dans la voie des philosophies de l'histoire. Et il témoigne, en même temps, de l'enracinement métaphysique de ces philosophies dans l'ontothéologie traditionnelle. « Rien ne fait de mal », dit-il, comme les sages grecs et les martyrs chrétiens : l'histoire occupe la place autrefois dévolue à Dieu ou au cosmos, elle est l'Un, l'ordre intelligible qui apaise tous les scandales, et dont la connaissance ou l'intuition réduit le mal à une ombre, à une apparence, à une pure illusion.

Mais l'identité textuelle entre la sagesse des anciens et les promesses des modernes fait éclater une différence que Péguy ne percevait pas avec la même acuité au temps où, avec *De la grippe, Encore de la grippe, Toujours de la grippe,* il définissait pour la première fois la révolution comme une révolte contre le Tout. C'est de leurs propres souffrances, du mal qui leur est fait, des tortures ou des revers de fortune dont ils peuvent être eux-mêmes victimes que se détachent ou que visent à se détacher le sage et le martyr. C'est pour son propre usage que le stoïcien s'exerce à désirer les événements comme ils se produisent en les réintégrant dans le grand jeu cosmique et à coopérer à chaque instant avec la volonté du destin. Son *amor fati* est un consentement à ce qui *lui* arrive. Son *nihil admirari,* son « ne s'étonner de rien » est une ascèse personnelle qui a pour objectif de lui faire accepter *sa* grippe, et, avec elle, l'éventualité de *sa* mort de bonne grâce, sans humeur sombre et sans pose tragique. C'est aussi à son bourreau que le martyr, étranger ici-bas, exilé dans le monde sensible et impatient de rejoindre le ciel, oppose le défi du « Rien ne fait de mal ». Et le schéma est le même pour le philosophe platonicien qui a vaincu la peur de la mort en découvrant que « la réalité réelle est transcendante par rapport à l'univers visible et que l'existence humaine n'est qu'une préparation à la vie véritable, celle que mènera l'âme immortelle dans la contemplation de cette réalité [45] ». Lorsqu'ils disent : « Rien ne fait de mal », les anciens donnent congé aux *soucis terrestres* – ambitions mondaines, biens extérieurs ou plaisirs corporels – pour se consacrer entièrement au *soin de l'âme.*

Quels que soient ses avatars, la philosophie moderne de l'histoire n'a plus cette ambition. Elle reste une consolation, mais elle a cessé d'être un exercice spirituel. Avec la mort de Dieu, elle nous laisse sans recours contre notre propre mort; avec le maintien et même la formalisation de l'hypothèse providentielle, elle nous aguerrit contre la pitié. Philosopher, ce n'est plus apprendre à mourir, c'est apprendre à dépasser les vues partielles et les coups de cœur de la sensibilité pour accéder à la vision panoramique d'une histoire qui fait sens. Comme la pensée des anciens, cette philosophie continue à se vouloir sage et virile, mais ce qui est pour elle douillet ou féminin, ce qu'elle repousse dans le non-philosophique, ce n'est plus de s'apitoyer sur soi-même, c'est de s'attarder auprès des morts ou de ceux qui vont mourir, c'est de regarder derrière soi, c'est le geste de Nietzsche entourant de ses bras un cheval martyrisé. La connaissance délivrait les anciens des passions; elle fait passer les modernes de la compassion non certes à l'indifférence mais au spectacle somptueux de l'humanité s'acheminant vers l'absolu, en dépit sinon même au moyen de la violence, du crime et de tout ce qui semble, à première vue, à vue de pitié, gripper la machine.

Car Jaurès n'est pas cruel. Ce n'est pas le cynisme en lui qui se délecte de l'ironie dialectique des choses, et qui dit « Rien ne fait de mal », en réponse « aux atroces couplets de détresse hurlés par tant de peuples victimes [...] à toutes ces populations atrocement tourmentées, à ces peuples entiers torturés de tortures et de guerres, à ces misérables populations coloniales, à ces misérables populations extrême-orientales, à ces trois cent mille Arméniens massacrés, à tout un immense empire dévoré des plus atroces ravages, à tous ces misérables Russes, à tous ces misérables ouvriers, à tous ces misérables paysans, à tous ces misérables Juifs, à tous ces misérables Polonais, à tous ces misérables révolutionnaires, à tous ces misérables soldats, à tous ces misérables bourgeois, intellectuels et brutes, également tourmentés, également tournant dans le même cercle, également malheureux [46] ». Ce n'est pas le cynisme, c'est la confiance. « Le grand pontife de l'optimisme officiel [47] » adhère à ce que Péguy appelle la proposition centrale du monde moderne, son idée fondatrice : l'humanité est comme un seul homme qui vieillit.

Comme Hegel, Marx ou Renan, Jaurès est donc fils de Pascal, non certes du Pascal mystique qui a subordonné l'ordre de la connaissance à celui de la charité – « la distance infinie des corps aux esprits figure la distance infiniment plus infinie des esprits à la charité, car elle est surnaturelle » – et dont Péguy socialiste revendique la leçon contre les tenants du socialisme scientifique, contre les militants *more geometrico,* contre ceux qui déduisent la révolution des lois de l'histoire et qui *boudent* l'histoire quand elle ne se conforme pas à ses lois; il est le fils et le continuateur de ce Pascal éminemment moderne, qui a pensé le genre humain sur le modèle évolutif d'un sujet se perfectionnant sans cesse, comme en témoigne la préface au *Traité sur le vide,* que Péguy, dans *Un poète l'a dit,* recopie scrupuleusement avant de l'examiner avec un soin implacable : « Toute la suite des hommes, pendant le cours de tant de siècles, doit être considérée comme un même homme qui subsiste toujours et qui apprend continuellement : d'où l'on voit avec combien d'injustice nous respectons l'antiquité dans ses philosophes; car, comme la vieillesse est l'âge le plus distant de l'enfance, qui ne voit que la vieillesse dans cet homme universel ne doit pas être recherchée dans les temps proches de la naissance, mais dans ceux qui en sont les plus éloignés? Ceux que nous appelons anciens étaient véritablement nouveaux en toutes choses, et formaient l'enfance des hommes proprement; et comme nous avons joint à leurs connaissances l'expérience des siècles qui les ont suivis, c'est en nous que l'on peut trouver cette antiquité que nous révérons chez les autres [48]. »

La sagesse était, depuis la nuit des temps, le privilège des anciens. Fort des découvertes qu'il fait et de celles dont il est le contemporain, Pascal échange les rôles –

les anciens sont les enfants, les modernes sont les anciens – et renverse la perspective – le passé n'est plus le domaine de la perfection, mais celui des tâtonnements. Étendant implicitement le paradigme scientifique à tous les secteurs de la vie, il perçoit *les* hommes comme *un* homme en perpétuel progrès. Fatale extension où Péguy décèle le péché originel de la modernité : « L'humanité dépassera les premiers dirigeables comme elle a dépassé les premières locomotives. Elle dépassera M. Santos-Dumont comme elle a dépassé Stephenson. Après la téléphotographie elle inventera tout le temps des graphies et des scopies et des phonies, qui ne seront pas moins *télé* les unes que les autres, et l'on pourra faire le tour de la terre en moins de rien. Mais ce ne sera jamais que de la terre temporelle. Et même entrer dedans et la transpercer d'outre en outre comme je fais de cette boule de glaise. Mais ce ne sera jamais que de la terre charnelle. Et l'on ne voit pas que nul homme jamais, ni aucune humanité, en un certain sens, qui est le bon, puisse intelligemment se vanter d'avoir dépassé Platon [49]. »

À la science issue de Pascal et de Galilée, Péguy fait crédit de n'être pas seulement contemplative, mais pratique, active, opératoire et prodigieusement efficace dans sa visée de puissance. Rien, par principe, n'est plus soustrait à la volonté humaine. Toute réalité est malléable, toute terre est terre glaise, tout ce qui est est pâte à modeler. Savoir désormais, c'est pouvoir, et Péguy reconnaît qu'il n'y a pas de limite assignable au savoir-pouvoir de l'humanité. Il renchérit même sur cette affirmation et, avec un sens divinatoire plus aigu que Renan dans ses *Dialogues,* il annonce le futur déjà presque présent où « par l'informatique, la bionique, la télématique et la domotique, les individus actifs et connectés tiendront à tout moment le monde entier à portée de leur écran de terminal [50] ». Mais, précise aussitôt Péguy, cette terre intégralement maîtrisée ne sera jamais que de la terre temporelle. Étrange « ne... que ». Paradoxale destitution de l'omnipotence. La science peut tout, mais elle ne peut que tout. Ou plutôt : tout ce qu'elle peut n'est que de l'ordre du pouvoir, rien de ce qu'elle permet de faire n'échappe à l'action instrumentale. L'humanité souveraine n'est pas l'humanité accomplie. L'homme en position de sujet ne réalise pas la vocation de l'homme. Son pouvoir ne cesse de progresser, mais c'est un pouvoir sans pouvoir sur ce qui est hors de portée du pouvoir : « La mise en forme et en sens de l'expérience humaine [51]. »

Pourquoi le monde moderne attache-t-il au fait d'être moderne une importance déterminante ? Pourquoi s'enivre-t-il, en tous domaines, de son niveau qui monte ou, comme le dit encore Péguy, d'être juché sur la plus haute marche de l'escalier ? Parce qu'il a oublié la différence entre sens et pouvoir. C'est de cet oubli que témoigne Renan quand il écrit dans *L'avenir de la science* : « Les livres sont des faits; ils ont leur place dans la série du développement de la science, après quoi leur mission est finie [52]. » C'est cet oubli qui est au fondement de l'historicisme et du sociologisme. C'est en vertu de cet oubli que la proposition de progrès régit désormais les lettres au même titre que les sciences. Et c'est à cet oubli que Péguy riposte par la proposition dite de la *résonance des voix* : « Il faut se représenter l'ensemble des grandes métaphysiques dans l'histoire et dans la mémoire de l'humanité, l'ensemble des grandes philosophies, seules dignes de ce grand nom de métaphysiques et de philosophies, comme l'ensemble des grands peuples et des grandes races, en un mot comme l'ensemble des grandes cultures : comme un peuple de langages, comme un concert de voix qui souvent concertent et quelquefois dissonent, qui résonnent toujours [53]. »

Dans l'optique de la maîtrise rationnelle du monde, l'humanité est un processus unitaire et se dit au singulier. Du point de vue de la culture ou du sens, l'humanité est une conversation et sa loi est la pluralité. Dans l'univers de la maîtrise, rien ne se perd, « tous les laboratoires du monde sont au bout les uns des autres » et « forment comme une chaîne temporellement éternelle [54] ». Les voix qui font la culture sont uniques, et leur disparition est irréparable : « Un grand philosophe nouveau, un grand métaphysicien, nouveau, n'est nullement un homme qui arrive à démontrer que chacun de ses illustres prédécesseurs séparément et tous ensemble, et notamment le dernier en date, était le dernier des imbéciles. C'est un homme qui a découvert, qui a inventé quelque aspect nouveau, quelque réalité, nouvelle, de la réalité éternelle; c'est un homme qui entre à son tour et pour sa voix dans l'éternel concert. Une voix qui manque, nulle autre ne la peut remplacer, et elle ne souffre pas d'être contrefaite [55]. »

Science ou culture : dis-moi de quel modèle tu t'inspires pour penser l'humanité, je te dirai quel socialiste tu fais. Péguy pense l'humanité à partir de la culture. C'est pourquoi il envisage l'histoire *sub specie mortalitatis.* Et c'est pourquoi également il conçoit, d'entrée de jeu, l'émancipation universelle sur un mode musical comme l'ouverture à tous du concert des voix. « Tous les hommes de tous les sentiments – écrit-il dans *Marcel, de la cité harmonieuse,* son utopie inaugurale –, tous les hommes de toutes les cultures, tous les hommes de toutes les vies intérieures [...] tous les hommes de toutes les patries sont devenus les citoyens de la cité harmonieuse, parce qu'il ne convient pas qu'il y ait des hommes qui soient des étrangers [56]. » Péguy ne distingue pas encore, en 1898, la cité de l'humanité. Avec une touchante innocence, il absorbe le politique dans le cosmopolitique, au lieu d'affronter le terrible problème de leur articulation. Dès cette œuvre de jeunesse, cependant, il récuse les deux tentations symétriques de l'archaïsme et du progressisme. Il ne dit ni que l'homme n'est pas encore, ni qu'il a été. Aussi naïf soit-il alors, son socialisme ne verse pas plus dans la nostalgie des origines que dans le rêve d'un grandiose et définitif accomplissement. Le culte du passé lui est aussi étranger que celui de l'avenir. De façon beaucoup plus intempestive, la cité harmonieuse assure la contemporanéité des vivants et des morts : « Tous les hommes de toutes les anciennes vies, les Hellènes et les Barbares, les Juifs et les Aryens, les Bouddhistes et les Chrétiens sont devenus sans se dépayser les citoyens de la cité harmonieuse [57]. »

Mais accueillir dans la cité présente les voix antérieures ou extérieures ne suffit pas. Encore faut-il que tous les hommes aient la possibilité matérielle d'entendre, et de parler. L'émancipation ne peut faire l'économie de l'économie. Sauf à rester lettre morte, elle doit même commencer par là : « Retirer de la misère tous les miséreux sans aucune exception constitue le devoir social avant l'accomplissement duquel on ne peut pas même examiner quel est le premier devoir social [58]. »

C'est dans un cahier consacré à *Jean Coste*, roman d'Antonin Lavergne tombé depuis lors dans un total oubli, que Péguy fait cette déclaration solennelle. *Jean Coste* raconte le calvaire d'un instituteur de village criblé de dettes, méprisé de ses élèves, épuisé par une existence tout entière occupée à *ne pas* joindre les deux bouts et qui, de détresses en déconvenues, de malchances en crève-cœur, est conduit à n'envisager d'autre issue que le suicide pour lui et pour sa famille. Livre trop noir et tout dégoulinant de pathos, avait tranché le comité des Cinq, lorsque Péguy le lui avait présenté pour publication. « Il n'y a pas de gens aussi malheureux », aurait même dit Léon Blum. Or, comme le montre l'enquête réalisée à la fin des années soixante par Jacques Ozouf auprès des instituteurs survivants de la Belle Époque [59], Lavergne n'a pas forcé le trait. Tous les maîtres d'école n'étaient pas des gueux ou de pauvres hères, tous ne faisaient pas la classe en sabots pour économiser leurs souliers, tous n'étaient pas contraints d'envoyer à l'inspecteur d'académie des suppliques chiffrées et déchirantes de prosaïsme, mais ceux qui avaient plus de deux enfants, qui n'étaient pas mariés à une collègue, qui ne pouvaient compléter leur salaire par un poste de secrétaire de mairie, ou qui exerçaient dans des villages sans notables c'est-à-dire sans leçons particulières, ceux-là subissaient un destin à la Jean Coste, et se reconnurent immédiatement en lui. Et pour ce qui concerne le pathétique, si Péguy a refusé de s'incliner devant le verdict des Cinq, s'il a même rompu avec eux sur ce désaccord, c'est précisément à cause du désaveu infligé par Lavergne au pathos de la misère et au « Rien ne fait de mal » de la morale traditionnelle. Nul moralisme, en effet, dans cette histoire, nulle philanthropie, mais la lente conquête d'une âme par le calcul et la rancœur. La misère de Jean Coste ne fait pas « reluire » ses vertus, elle les fait disparaître. Elle ne le détache pas des biens corporels, elle le contraint à y penser tout le temps. Elle ne le rapproche pas du bien en le délivrant de ses contrefaçons terrestres et matérielles, elle le ferme à toute transcendance. Jean Coste n'a d'autre souci, d'autre horizon que lui-même. « Cet accaparement de sollicitude pour soi est la marque la plus profondément empreinte de la misère la plus basse [60] » et ce soi n'est, à proprement parler, personne. Concentré sur le seul fait de son existence, Jean Coste est égoïste, telle est sa déchéance, mais, tel est son malheur, il n'a plus, en guise d'*ego*, « qu'un seul compartiment de vie et tout ce compartiment lui est occupé désormais par la misère; il n'a plus qu'un seul domaine; et tout ce domaine est irrévocablement pour lui le domaine de la misère; son domaine est un préau de prisonnier; où qu'il regarde, il ne voit que la misère [61] »... D'une pierre deux coups : l'identité et l'altérité, le dedans et le dehors, sont chassés et remplacés par l'absolutisme du vouloir-vivre. En soumettant l'homme à l'autorité exclusive du besoin, la misère le bannit de l'espace public et le déloge aussi de son for intérieur. Elle est, dit alternativement Péguy, *servitude* (puisqu'elle enchaîne le misérable à son corps) et *exil* (puisqu'elle l'éloigne simultanément du monde et de lui-même).

Par cette phénoménologie de la misère, Péguy ne récuse pas seulement l'antique spiritualisme, il condamne aussi le formalisme des modernes. Les castes peuvent bien être abolies, les hiérarchies naturelles dissoutes et les individus déclarés semblables quels que soient leur appartenance, leur race, leur situation ou leur rang – tant que sévit la misère, il y a des hommes qui ne sont pas des hommes, *il y a des membres de l'espèce humaine qui n'habitent pas le monde humain.* D'où, si l'on veut être vraiment républicain, l'exigence du socialisme. Pour que l'idée d'humanité ne reste pas un vœu pieux ou une simple vue de l'esprit, tout homme doit être pourvu du nécessaire, « du vrai nécessaire, du pain et du livre [62] ». Le pain est nécessaire en tant précisément qu'il délivre l'existence du joug de la nécessité et lui permet ainsi d'être vie de quelqu'un, existence individuelle : « Les ouvriers écrasés de fatigue sont en général beaucoup plus près d'une certaine unité. À mesure que la révolution sociale affranchira l'humanité des servitudes économiques, les hommes éclateront en variétés inattendues [63]. » Quant au livre, il ne vient pas en plus, il est nécessaire, l'humanité de l'homme en dépend, parce qu'il faut passer par ce lieu où les vivants s'entretiennent avec les morts, pour accéder au concert des voix. Et l'abondance? « Je ne puis parvenir à me passionner pour la question célèbre de savoir à qui reviendront, dans la cité future, les bouteilles de champagne, les chevaux rares, les châteaux de la vallée de la Loire; j'espère qu'on s'arrangera toujours; pourvu qu'il y ait vraiment une cité, c'est-à-dire pourvu qu'il n'y ait aucun homme qui soit banni de la cité, tenu en exil dans la misère économique, tenu dans l'exil économique, peu m'importe que tel ou tel ait telle situation [64]. »

Guesde, Jaurès et Lucien Herr souscriraient inconditionnellement à la profession de foi matérialiste du *De Jean Coste.* Ils pensent, avec Péguy, que « la misère économique est un empêchement sans faute à l'amélioration morale et mentale, parce qu'elle est un instrument de servitude sans défaut ». Ils sont socialistes parce qu'ils savent comme lui que « tout affranchissement moral et mental est précaire s'il n'est pas accompagné d'un affranchissement économique [65] ».

Mais Péguy doit lentement se rendre à l'évidence : ce matérialisme commun recouvre un différend fondamental; les chefs socialistes, toutes tendances confondues, envisagent l'émancipation dans les termes de la proposition de progrès. Ils ne voient pas l'humanité comme un monde, comme une fragile pluralité; ils la voient comme un train lancé à vive allure vers l'omniscience et vers l'omnipotence, et ils se définissent eux-mêmes comme les conducteurs du train. Terminus Dieu : la fin de l'exploitation de l'homme par l'homme se confond, dans cette version du socialisme, avec le règne sans partage du genre humain sur l'univers. Liberté et souveraineté sont deux termes synonymes. La révolution abat d'un seul tenant le régime des classes et les obstacles que le capitalisme met au déchaînement des forces productives. Ce socialisme combat donc le monde moderne sur son propre terrain. Prométhée succède à Prométhée, Théoctiste socialiste s'oppose à Théoctiste esclavagiste, et les damnés de la terre désentravent la technique dès lors qu'ils prennent l'histoire en main.

C'est parce qu'il adhérait de toute son âme à cette vision socialiste de l'Humanité-Dieu qu'Arthur Koestler était dans les années trente sous le charme de l'État soviétique. C'est cette idée du progrès qui lui donnait alors à penser que « le plus grand barrage électrique du monde devait nécessairement apporter le bonheur au plus grand nombre [66] », et qui, un jour, lui inspira l'esquisse à demi sérieuse d'une version moderne du *Cantique des cantiques* : « Les yeux de ma bien-aimée brillent comme des hauts fourneaux dans la steppe; ses lèvres ont le dessin hardi du canal de la mer Blanche; ses épaules, la courbe svelte du barrage du Dniepr; son échine est longue et droite comme la voie ferrée du Turkestan en Sibérie [67]... »

Quel être normalement constitué pourrait résister à de tels appas ? Quel individu raisonnable voudrait se dresser contre le soleil de la raison ? L'homme que rencontre ce rationaliste enchanté n'est jamais un autre homme mais, comme écrit Péguy, prémonitoire, un *propagandable* : « Au fond, la propagande revient à ceci : elle suppose un propagandeur et des propagandables ; un propagandeur est quelqu'un qui sait ; les propagandables, c'est tout le monde qui ne sait pas, les *imbéciles,* comme Simiand dit. Celui qui sait enseigne ceux qui ne savent pas [68]. »

Pour le missionnaire de l'Humanité-Dieu, la politique est une pédagogie. Engagé en apparence dans l'histoire, il substitue, en fait, l'*englobement* à l'*engagement.* Nulle voix n'a le pouvoir de l'attirer hors de ses pensées. Rien n'entame les certitudes de sa conscience souveraine, à aucun moment il ne court le risque d'être transformé par d'autres points de vue, d'autres discours, et de perdre, *en s'engageant* dans un vrai dialogue avec ses semblables, le contrôle de la vérité : « Heureux, écrit Péguy, l'homme qui sait bafouiller quelquefois, qui ne connaît pas toujours la fin de sa phrase et qui n'est pas le maître impeccable de sa péroraison [69]. » Ce bonheur de manquer manque à Jaurès et à tous les socialistes-éducateurs. Et cette éducation politique, cette pédagogisation de l'espace public sont plus effrayantes et plus meurtrières que la volonté dédaigneusement exprimée par Théoctiste d'asservir la masse des hommes à l'élite des êtres intelligents. Aucune place, en effet, pas même celle de l'esclave, n'est prévue pour les retardataires ou les récalcitrants. Qui refuse la lumière, qui ne se rend pas corps et âme aux arguments de la raison, entrave son avènement, conspire contre l'abondance dont elle est porteuse, et tombe, du même coup, en dehors de l'humanité : « La propagandisation ainsi entendue comme ils veulent qu'on la pratique a toujours conduit à faire massacrer les impropagandisables par leurs anciens amis propagandisés [70]. »

Desserrer l'étau de la nécessité, abolir la dictature du besoin afin que nul membre de l'espèce humaine ne soit tenu en dehors du monde humain, tel fut le sens donné par Péguy à son engagement socialiste : « Nous ne promettons pas un Paradis. Nous promettons une humanité libérée [...] Nous ne méprisons pas les humanités passées, nous n'avons ni cet orgueil, ni cette vanité, ni cette insolence, ni cette imbécillité, cette faiblesse [...] Nous n'avons pas la présomption d'imaginer, d'inventer, de fabriquer des humanités nouvelles. Nous n'avons ni plan ni devis. Nous voulons libérer l'humanité des servitudes économiques. Libérée, libre, l'humanité vivra librement. Libre de nous et de tous ceux qui l'auront libérée [71]. » Péguy s'est *dégagé* lorsqu'il s'est aperçu qu'il parlait tout seul, qu'il était seul à dire *nous,* et que, par-delà leurs divisions, les révolutionnaires officiels étaient tous imbus, jusqu'à l'ivresse, de la proposition centrale du monde moderne : l'humanité est comme un seul homme qui vieillit.

Péguy a donc raison contre ses juges et l'interminable procès que depuis Benda ils lui ont intenté. Il n'a pas lâché la cause de l'humanité pour celle de la nation, le socialiste qu'il était ne s'est pas mué en belliciste revanchard. Il a d'emblée pensé l'humanité autrement que ses premiers compagnons de combat, et dès lors qu'il a pris conscience de cette différence, il s'est patiemment appliqué à en rechercher le sens profond : « Nous avons constamment suivi, nous avons constamment tenu la même voie droite, et c'est cette même voie droite qui nous a conduits là où nous sommes. Ce n'est point une évolution, comme on dit un peu sottement, employant inconsidérément, par un abus lui-même incessant, un des mots du langage moderne qui est devenu lui-même le plus lâche, c'est un approfondissement [72]. »

Avec l'irruption de la guerre dans sa pensée et dans sa vie, Péguy a définitivement renoncé, il est vrai, à son utopie inaugurale. Plus question, en 1905, d'accueillir tous les hommes de toutes les patries à l'intérieur de la cité; la disharmonie est désormais à l'ordre du jour. Si tous les hommes appartiennent bien à la même humanité, le destin de ces semblables ne peut plus être de devenir concitoyens. Le coup de Tanger découvre à Péguy la réalité de l'ennemi et l'impossibilité d'absorber, sans autre forme de procès, le politique dans le cosmopolitique.

Mais, en fait, Péguy n'a pas attendu que se précise la menace militaire allemande pour dire adieu au rêve. Il y a longtemps déjà qu'il professe un socialisme désenchanté ou plutôt qu'il fait du désenchantement le motif premier du socialisme. Il y a longtemps que, malgré Bergson, vivant, pour lui, veut dire mortel, et qu'il définit par l'insomnie et non par l'utopie l'attitude révolutionnaire. Dès les dialogues sur la grippe, on l'a vu, il se refuse à considérer le temps comme le temps qu'il faut à l'humanité pour accéder à la vision divine d'une raison sans limites. Tout ce qui est dans le temps prend le risque du temps, tout ce qui est né peut disparaître, et ce qui est perdu manque à tout jamais, affirme-t-il en réponse aux rêveries historicistes de Renan : « Ne nous retirons pas plus du monde vivant pour considérer les sidérales promesses que pour contempler une cité céleste. Il me paraît que l'humanité présente a besoin du soin de tous les hommes [73]. » En 1905, la vision se noircit encore (« Des civilisations entières sont mortes, américaines et aussi de l'ancien continent. Absolument, entièrement et totalement mortes [74] »), parce qu'il vient de lui être révélé que la France ne fait pas exception à cette fragilité universelle. L'événement qui se produit alors ne lui apprend pas que la France est (il le savait déjà) mais qu'elle est périssable et qu'elle fait partie de ce « domaine incessamment menacé » dont « nous sommes les héritiers, et les administrateurs comptables et responsables [75] ».

Pour le dire autrement : la montée des périls n'a pas transformé Péguy en défenseur de l'ordre et de la tradition. À sa manière, il l'était déjà. Jamais, en effet, il n'a choisi la révolution contre la tradition ni fait honte à la nostalgie au nom de la nouveauté ou du progrès de la raison. Jamais, même dans sa période la plus radicale, il n'a repris à son compte le cri de guerre des modernes : « Mort aux morts! », ni affecté le mot *ancien* d'une connotation péjorative. Bien avant le coup de Tanger, Péguy se situait à l'écart de l'opposition entre le parti de l'Ordre et le parti du Mouvement. Être socialiste pour lui, c'était se battre sur deux fronts : contre les forces de réaction, pour *changer* le monde et mettre fin à l'enfer de l'*acosmie,* au malheur des exilés; contre les forces de « décréation », pour *conserver* l'humanité du monde, c'est-à-dire la richesse de sa culture et la pluralité de ses voix. Deux mots d'ordre inspiraient simultanément son action publique : faire en sorte que la porte ne soit fermée au nez à personne, prendre soin de l'héritage que nous avons reçu en dépôt afin que cette porte ne s'ouvre pas sur le vide. Le saisissement de 1905 n'est donc pas un reniement, mais bien un approfondissement; Péguy ne se déjuge pas, il reste fidèle à lui-même quand il inclut dans son travail par quinzaines le souci de la nation.

Et quand il polémique avec l'antipatriotisme doctrinaire de Gustave Hervé. Dans *Leur patrie,* pamphlet qu'il publie en avril 1905, Hervé, socialiste connu alors pour ses positions extrêmes, affirme que le patriotisme, « mine d'or pour les classes dirigeantes », « attrape-nigaud pour les peuples [76] », n'existe et n'est entretenu en chaque nation que pour masquer l'antagonisme des classes. Il s'emploie donc à arracher le masque et il prévient sans ambages : « Les patriotes républicains admettent la guerre étrangère comme un pis-aller, il est vrai, pour défendre la patrie actuelle : tandis que nous, nous n'admettons qu'une seule guerre, la guerre civile, la guerre de classe, la seule qui à l'heure actuelle, dans l'Europe du XXe siècle, puisse rapporter quelque profit véritable aux exploités de tous pays [77]. » Hervé, en un mot, est belliciste : ce n'est pas la paix qu'il défend contre la guerre, c'est la vraie guerre contre la fausse, la guerre sociale qui vise à abattre l'adversaire bourgeois contre la guerre étrangère qui conduit à se faire massacrer pour lui. Mais si le propos est brutal, l'air est connu, et l'argumentation sans originalité excessive. Hervé dit « *leur* patrie » comme les socialistes orthodoxes, il y a peu, disaient « *leur* affaire » : à eux les bourgeois, nos ennemis. Et de même que Péguy disait « *notre* affaire », de même qu'il voyait dans l'acclamation du nom de Dreyfus par le peuple de Paris « la plus grande révolution de cette crise, peut-être la plus grande rupture, la plus grande effraction de sceaux de ce siècle [78] », de même il désigne sous le nom de révolution la prise de conscience de la menace militaire allemande, et il écrit *Notre patrie*. Bien que possessif, l'adjectif ne désigne pas ici une propriété mais une obligation. Est nôtre, en l'occurrence, ce qui nous regarde, non ce qui nous revient. La patrie est notre affaire, comme l'Affaire, parce que le monde où nous vivons n'est pas un bien disponible et inusable, mais une réalité temporellement et spirituellement vulnérable que nous n'avons pas le droit de laisser à sa détresse et à son dénuement. « Quand le feu prend à la maison, écrit Péguy au temps de son engagement pour Dreyfus, la question ne se pose pas de savoir pourquoi on accourt, mais ceux qui accourent ont justement le droit de poser des questions à ceux qui n'accourent pas [79]. » Surtout quand ceux qui n'accourent pas, Guesde hier et maintenant Hervé, veulent précisément que le feu prenne à la maison bourgeoise. Les patries ont eu, un temps, leur raison d'être, admet Hervé, mais ce temps est fini : du passé, il faut faire table rase, l'humanité pour être libre et souveraine doit s'émanciper de toutes les formes dans lesquelles elle s'est aliénée jusqu'à présent. Face à ce discours, Péguy patriote demeure ce qu'il était dreyfusard : un pompier égaré au milieu des incendiaires.

Quant à Jaurès, lui non plus, il ne change pas. Plus généreux que Hervé et plus hégélien que marxiste, il se propose non de liquider les patries, mais de les conserver en les dépassant. L'internationalisme tel qu'il le conçoit ne révoque pas les entités historiques appelées nations, il aménage leur coexistence. Il n'efface rien, il accueille et il fédère : « Dans la hiérarchie de la vie, comme Aristote et Auguste Comte l'ont montré magnifiquement, le supérieur suppose l'inférieur. Il s'y appuie mais ne le supprime pas [...] De même les nations s'élèveront dans l'humanité sans se dissoudre [80]. » En ce domaine comme dans tous les autres, pour Jaurès, la révolution procède par addition et non de manière soustractive. Loin de la défaire, elle complète l'œuvre passée et les prolétaires ont en charge le destin de la patrie, de la même manière qu'ils avaient, au temps de l'Affaire, celui des droits de l'homme. Et même si Jaurès, sensible aux mouvements d'opinion dans le monde ouvrier, ménage Hervé, comme au temps du premier Congrès socialiste il ménageait Vaillant et Guesde, c'est ce patriotisme élargi qui, à partir de 1905, inspire son refus de la guerre. À jeun dans une France saoule de slogans belliqueux, il envisage avec effroi les conséquences de la guerre pour la nation et pour l'internation : « D'une guerre européenne, peut jaillir la révolution, et les classes dirigeantes feraient bien d'y songer. Mais il peut en sortir aussi, pour une longue période, des crises de contre-révolution, de réaction furieuse, de nationalisme exaspéré, de dictature étouffante, de militarisme monstrueux, une longue chaîne de violences rétrogrades et de haines basses, de représailles et de servitudes, et nous ne voulons pas jouer à ce jeu de hasard barbare, nous ne voulons pas exposer sur ce coup de dés sanglant la certitude d'émancipation progressive des prolétaires [81]. »

Pour conjurer le péril, Jaurès s'en remet à l'œuvre commune des socialistes français et des socialistes allemands. Au jeu de hasard de la guerre, il oppose une spéculation tout aussi aléatoire sur la sagesse internationaliste des partis ouvriers. Charles Andler a beau le mettre solennellement en garde et lui signaler, textes en main, l'émergence en Allemagne d'un socialisme impérialiste qui mesure la modernité à l'industrialisation et pour lequel, de ce fait, « l'intérêt principal des ouvriers coïncide avec les intérêts de cette grande entreprise de quincaillerie allemande qui couvre le globe [82] », Jaurès ne veut pas en démordre. Son optimisme, qui est un attribut non pas psychologique mais métaphysique, le conduit à se détourner de la version originale de la réalité au profit de sa version expurgée, révisée, revue et corrigée par l'histoire. Car s'il est bien un penseur du temps et non de l'immuable, le monde du temps, pour lui, ce n'est pas le monde imprévisible de l'événement, c'est le monde programmé du devenir, ce n'est pas le monde où « tout arrive » et « où il faut s'attendre à tout [83] », mais le spectacle prodigieux de l'humanité se rapprochant de sa destination rationnelle, même si elle prend parfois du retard sur l'horaire prévu. Et dans ce processus, les socialistes ont un rôle qu'il ne saurait être question pour eux de ne pas jouer, ou *a fortiori* de jouer à l'envers.

Comme Renan, Jaurès se retire du monde vivant au moment même où il croit en saisir l'essence historique. Et il lui arrive ainsi la même mésaventure qu'à Thalès tombé dans un puits pendant qu'il observait le mouvement des corps célestes. Une jeune servante thrace, nous conte Platon dans le *Théétète*, « le railla de son zèle à savoir ce qui se passe au ciel, lui qui ne savait pas voir ce qu'il avait devant lui à ses pieds ».

À l'inverse de Platon qui, on le sait, épouse la cause du philosophe humilié, Péguy avait adopté le point de vue de la servante contre le vertige spéculatif de Renan, contre le providentialisme de Jaurès et, de façon plus générale, contre la tentation intellectuelle de faire les malins, car « il y a beaucoup de puits [84] ».

Mais soumis, selon ses propres termes, à une veillée des armes interminable, cumulant « la crise de la guerre et la durée de la paix [85] », « constamment chargé pour la guerre, au sens où un fusil est chargé » et « constamment chargé des travaux dits de la paix, au sens où un âne est chargé [86] », Péguy n'a pas tenu le choc. La dénonciation psychologique de Jaurès a eu raison en lui de la critique philosophique de son « Rien ne fait de mal ». Oubliée la polémique avec les descendants de Thalès! L'exigeante explication par l'optimisme a cédé la place à l'explication « extrêmement simple » par la félonie : Jaurès « est pangermaniste [...] Il est un agent du parti allemand. Il travaille pour la grande Allemagne [87] ». Et ce n'est pas avec les armes de la critique que l'on combat les traîtres. Sitôt le déclenchement des hostilités, on les juge : « En temps de guerre, il n'y a plus qu'une politique, et c'est la politique de la Convention nationale. Mais il ne faut pas se dissimuler que la politique de la Convention nationale, c'est Jaurès dans une charrette et un roulement de tambour pour couvrir cette grande voix [88]. »

Même s'il est avéré que Péguy n'a pas armé le bras du meurtrier, on peut dire qu'il a perdu ici le sens commun, c'est-à-dire la qualité même avec laquelle il a œuvré, toute sa vie, à réconcilier la pensée, en regardant par terre comme la servante thrace et non en l'air comme la philosophie. C'est ainsi qu'il a succombé à son tour, et pour son compte, à ce que Nietzsche, parlant de la fièvre nationaliste qui commençait alors d'embraser l'Europe, a appelé une « crise d'abêtissement [89] ».

ÉPILOGUE

Le sourire du technocosme

« Bienvenue dans un monde d'avenir... », dit une chaude voix d'homme, tandis qu'apparaît en gros plan sur l'écran le ventre magnifiquement bombé d'une femme qui accouche. « Un monde, ajoute la voix *off*, où les progrès des biotechnologies ouvrent de nouveaux horizons aux plantes, à la santé, à la vie », et c'est, surgissant d'un endroit totalement désert, planté au milieu de nulle part, un champ de tournesols qui nous est montré. Toujours aussi douce, virile et mélodieuse, la voix poursuit : « Bienvenue dans un monde d'innovation où se conçoivent les matériaux du futur, bienvenue dans un monde où les progrès de la chimie et des fibres permettent de créer des équipements de haute performance... » L'image ne cesse, dès lors, d'aller et venir entre la promesse enchanteresse et son destinataire, entre le miracle des tournesols et le visage légèrement douloureux de la femme que massent deux mains expertes, entre un pont sans rails qui enjambe un paysage lunaire et qu'emprunte à très grande vitesse un train dirigé par télécommande et l'apparition grimaçante du nouveau-né, entre un skieur casqué fonçant dans sa combinaison rouge ultramoderne et la sobre blouse verte du jeune médecin qui, penché sur la table de travail, sourit au visage redevenu serein de sa patiente et lui serre le bras en signe de victoire et de solidarité. Au moment où l'enfant est posé sur le ventre de sa mère et où leurs doigts se croisent pour la première fois, la voix conclut par ces mots : « Rhône-Poulenc. Bienvenue dans un monde que nous contribuons jour après jour à rendre meilleur. »

Ce film publicitaire a été diffusé en 1989 sur toutes les chaînes de la télévision française. Et si l'on en croit son triomphal « Bienvenue », l'avenir de la science se décline désormais au présent. « Qu'importe que mille humanités meurent? Une humanité réussira », disait l'enchanteur Renan. « Cette humanité la voici, c'est la nôtre », avance aujourd'hui la firme Rhône-Poulenc, fière et heureuse de pouvoir offrir aux nouveaux arrivants une terre surplombée, maîtrisée, « transpercée d'outre en outre », un dehors dépourvu de mystère et comme vidé de son extériorité, un monde, en un mot, où tout ce qui était autre que l'homme est maintenant non seulement livré à son pouvoir mais issu de sa volonté, telles les plantes dissociées du sol et perchées sur une motte de laine de verre que l'on voit sur l'écran.

Les Temps modernes ont élaboré ou rêvé deux grands programmes d'*humanisation de la terre.* Il s'agissait, dans le premier, de mettre fin à toute forme d'exclusion en repoussant sans cesse les frontières de la cité. Humaniste en ce sens, Michelet abordait l'histoire naturelle comme « une branche de la politique », et défendait le droit des humbles, des misérables, des simples puis, de proche en proche, de toutes les espèces vivantes à « se faire admettre au sein de la Démocratie [1] ». Et Péguy proclamait de même : « Les animaux sont en la cité concitoyens des hommes : ainsi les hommes ont envers les animaux le devoir d'aînesse parce que les animaux sont des âmes adolescentes [2]. »

Le second programme entendait placer la réalité objective sous la juridiction exclusive de l'esprit humain, et cet humanisme démiurgique faisait autant d'adeptes dans le parti de l'Ordre que dans celui du Mouvement. À l'espérance de Renan annonçant par la voix de Théophraste, l'autre utopiste de ses *Dialogues,* que l'homme pourrait bientôt appliquer à volonté « la loi qui détermine le sexe de l'embryon [3] », et par l'intermédiaire de Théoctiste que la science n'allait pas tarder à remplacer « les animaux existants par des mécanismes plus élevés [4] », correspondait, en face, le Principe Espérance d'Ernst Bloch tablant sur une technique qui ne s'orienterait plus seulement vers la transformation des matières premières, « mais aussi vers la formation synthétique de ces matières ellesmêmes » pour « inciter la terre à produire mille fois plus de fruits avec une démesure et dans un mouvement “ anti-démétérien ” sans pareil, allant jusqu'au concept limite synthétique de champ de blé qui pousse dans le creux de la main [5] ».

Même si, par égard pour les âmes sensibles, le film de Rhône-Poulenc nous épargne le spectacle des manipulations animales et préfère illustrer les progrès des biotechnologies par les plantes hors-sol plutôt que par les mammifères transgéniques ou l'élevage en batterie des porcs, des veaux, des poulets et des moutons, l'entreprise qui se présente comme le premier groupe chimique et pharmaceutique français fait, entre les deux humanismes, un choix sans ambiguïté : le souci démocratique de « compléter la cité en y associant tous les êtres [6] » n'a aucune part dans le « monde meilleur » ou, comme le dit une autre publicité de la même firme, « en perpétuelle expansion » qui se trouve offert à nos regards éblouis. Rien ne reste des larmes *républicaines* versées par Péguy et Michelet sur le sort des animaux, « ce pauvre peuple inférieur [7] ». Tandis que Brigitte Bardot pleure, Rhône-Poulenc célèbre, avec la jubilation de Théophraste, de Théoctiste et d'Ernst Bloch réunis, l'accomplissement de l'espérance démiurgique, c'est-à-dire l'engloutissement total de la nature dans le technocosme.

Une nouvelle Bonne Nouvelle peut donc être délivrée à l'humanité. « Un enfant nous est né », dit-elle tout comme l'ancienne. Mais, à la différence de l'ancienne, ce qui constitue pour elle le miracle, ce n'est plus la naissance, c'est le milieu protecteur et prothésique où l'enfant fait son entrée; ce n'est plus l'irruption du nouveau, c'est le bonheur d'une prévisibilité, d'une maniabilité, d'une fluidité sans histoires des êtres et des choses; ce n'est plus l'apparition, ce sont les appareils; ce n'est pas le dérangement de l'ordre, mais la dématérialisation de la terre; ce n'est pas, en un mot, l'incommode événement, mais la commodité d'un environnement sur mesure. La programmation est divinisée et non plus la surprise. La merveille du commencement – « un enfant est une origine, un secret, un point d'origine, un commencement pour ainsi dire absolu », disait Péguy – laisse place à l'enchantement de la toute-puissance : « Je pense, donc tu peux », dit le *cogito* magique de Rhône-Poulenc.

Mais n'est-il pas abusif de donner valeur d'emblème à ce film scientiste et à son optimisme prométhéen ? L'homme contemporain a beau être subjugué par le « monde d'avenir » que lui propose Rhône-Poulenc (comme en témoigne l'abondance des variations publicitaires sur le même thème : « Philips, c'est déjà demain », « Télécom, un avenir d'avance », etc.), il sait que « Descartes n'a point battu Platon comme le caoutchouc creux a battu le caoutchouc plein » et que « Kant n'a point battu Descartes comme le caoutchouc pneumatique a battu le caoutchouc creux [8] ». Ce tard venu dans le siècle mesure, en outre, l'ampleur inouïe des dévastations engendrées par la certitude philosophique d'être aux avant-postes du temps et de guider l'humanité vers sa destination suprême : pour la première fois, des hommes ont exterminé d'autres hommes le cœur d'autant plus léger qu'ils les considéraient comme *déjà morts*. Pour la première fois, des villes ont été démolies et des campagnes saccagées afin d'accomplir la raison dans l'histoire. Tirant la leçon de ce vandalisme sans précédent, l'époque actuelle donne congé à la modernité, comme l'époque qui se voulait moderne avait donné congé à la tradition. Être moderne n'est plus « la valeur fondamentale à laquelle toutes les autres sont renvoyées [9] ». Désormais *post*-moderne, l'homme contemporain proclame l'égalité de l'ancien et du nouveau, du majeur et du mineur, des goûts et des cultures. Au lieu de concevoir le présent comme un champ de bataille, il l'ouvre sans préjugé et sans exclusive à toutes les combinaisons. Nulle statue du Commandeur, qu'elle fût progressiste ou rétrograde, ne fait plus honte à ce don Juan du désordre de sa vie ou de la diversité de ses plaisirs. Cessant de pourchasser les traces du passé en lui-même comme dans les autres, il a répudié les formes de pensée qui divisaient le monde en vivants et en vestiges. Bref, il a dépassé ou, pour être plus exact, il a détrôné le dépassement. Partout l'obligatoire se dissout dans l'optionnel, les figures libres succèdent aux parcours imposés, l'éclectisme au sectarisme, le « bonheur si je veux » au bonheur programmé, la cohabitation des styles au sens de l'histoire, le jeu avec les codes au vertige de la radicalité, les amours plurielles, les identités bariolées et les délices du papillonnage à la nécessité guerrière et puritaine de toujours choisir son camp.

Gare, cependant, à la confusion. Quand Péguy affirme que Platon est indépassable, il veut dire que sa voix est *éternelle,* toujours vivante, toujours enseignante, malgré le temps qui passe et les accumulations du progrès, et qu'elle est *unique* (si « la résonance de ce pas n'avait pas sonné sur le pavé du monde [10] », personne jamais ne l'aurait remplacé). Dans l'univers post-moderne, en revanche, Platon est indépassable parce qu'il est substituable, parce que chacun aime ce qu'il aime et choisit ce qu'il veut. Ce n'est pas la résonance des voix que le sujet post-moderne oppose à la téléologie de l'histoire, c'est le principe d'équivalence ou d'interchangeabilité. *Anything goes* : tout est bon, n'importe quoi va, la neutralité est la forme du monde. Moi l'image, toi le livre; moi Platoon, toi Platon : à peine le premier des philosophes cesse-t-il d'être perçu comme une borne ou un jalon sur « la route départementale de la métaphysique de l'humanité [11] », qu'il est appréhendé comme un produit. Il n'échappe à l'emprise de l'histoire que pour entrer dans la ronde effrénée où tout peut prendre la place de tout. En guise de promotion, Platon quitte donc l'archive pour l'échange, et si l'époque post-moderne refuse bien d'aligner la succession des œuvres sur le *progrès technique*, c'est pour leur conférer le même type de réalité et de disponibilité que la firme Rhône-Poulenc aux *artefacts techniques* dont elle gratifie les hommes. Bienvenue dans le monde euphorisant des choix volatils et de l'universelle plasticité : les morts faisant, au même titre que la Terre, partie du technocosme, le consommateur est invité à traverser l'univers culturel comme le skieur en combinaison rouge du film glissait dans l'espace.

Rien de moins post-moderne, en définitive, que ce

post-modernisme-là. Ce n'est pas aux dépens mais au profit du rêve moderne de maîtrise totale que la notion de dépassement est tombée en disgrâce. Ce n'est pas aux dépens mais au profit de ce que Péguy appelle alternativement l'autothéisme et la panmuflerie que l'axiome du « *Anything goes* » a pacifié et neutralisé les anciens antagonismes : « À ce jeu en ce temps-ci une humanité est venue, un monde de barbares, de brutes et de mufles, plus qu'une *pambéotie,* plus que la pambéotie redoutable annoncée, plus que la pambéotie redoutable constatée, une panmuflerie sans limites [...], un monde non seulement qui fait des blagues, mais qui ne fait que des blagues et qui fait toutes les blagues et qui fait blague de tout. »

L'autre titre de gloire, le second motif de satisfaction du sujet qu'on ne peut plus qu'entre guillemets qualifier de « post-moderne », c'est d'être cosmopolite et de partir en guerre contre l'esprit de clocher. À circuler sans cesse entre les traditions les plus éloignées, à chevaucher les frontières géographiques, historiques, symboliques ou culturelles, à *métisser* – son maître mot – les arts et les manières, ce n'est pas seulement l'idéologie de la marche en avant qu'il conteste, c'est aussi et simultanément celle du *retour* (à la terre, à la patrie, aux sources, aux racines). Après les deux expériences totalitaires dont le XXe siècle a été le théâtre, les contes et légendes de la nation lui sont aussi intolérables que les épopées révolutionnaires et il se veut libre de la nostalgie comme de l'utopie, de l'enracinement dans les mythes du sol comme de la logique du dépassement perpétuel, du terroir comme de l'histoire, et de la pureté du sang comme du purisme des avant-gardes.

Ce double refus est à l'origine de l'engouement contemporain pour la thématique juive de l'exil. Alors que les esprits modernes déclarent achevée la mission historique du judaïsme, et que les antimodernes lui imputent l'écroulement de la tradition, le sujet « post-moderne » veut s'inspirer de cette « liberté à l'égard des formes sédentaires de l'existence [12] » qui constitue, selon Lévinas, la définition juive de l'humain. Il prend exemple sur cette « affirmation de la vérité nomade » et sur cette « exigence de ne pas nous contenter de ce qui nous est propre [13] » que Blanchot voit poindre dans le « Me voici » d'Abraham. Il s'approprie ce « génie du non-lieu [14] » dont parle Jabès (quitte à déplorer parfois que les Juifs d'aujourd'hui, eux, lui deviennent infidèles), et, même s'il n'est pas religieux, il accorde une valeur éminente à la « légende généalogique » qui, contrairement à celle des autres peuples de la terre, « ne commence pas par l'autochtonie [15] », comme le souligne Rosenzweig. Bref il érige la vocation diasporique et le renoncement juif au séjour en paradigme de la sortie de la modernité. Être ailleurs : le grand vice de l'individu « post-moderne », sa grande vertu manifeste.

Mais là encore, il y a usurpation : l'époque « post-moderne » n'en a pas plus fini avec l'archaïsme de l'enracinement qu'avec la métaphysique moderne. Regardons encore une fois le film Rhône-Poulenc :

le premier sourire que rencontre l'enfant dans le monde, la première voix qu'il entend et qui répond à l'appel de son indigence, le premier visage qui se penche sur lui pour l'accueillir et lui souhaiter la bienvenue, sont le sourire, le visage et la voix du technocosme. Ce n'est plus la Mère qui l'enracine, en répondant par une manne d'aménités à sa soif de consommation et de bonheur, c'est l'Univers. Autrefois, l'enfant avait besoin d'un chez-soi, délimité par la mère d'abord, puis par la mère-patrie qui le mette à couvert et, selon l'expression de Patocka, « jette une voûte par-dessus l'exposition au froid glacial de l'étranger [16] ». Désormais, dit Rhône-Poulenc, et c'est le sens profond de la nouvelle Bonne Nouvelle, une telle protection n'est plus nécessaire. L'enfant peut être lancé tout de suite et tout *schuss* dans le silence éternel des espaces infinis, car ceux-ci ne sont plus vides ni effrayants mais comme enveloppés de chaleur maternelle. Il peut d'emblée sortir de chez soi : un monde où il n'y a nulle exception, nulle part, au « dispositif de l'universelle ustensilité [17] », c'est-à-dire au pouvoir de passer commande, ce monde est un village mondial, un berceau planétaire.

Certes, tout le monde, dans ce monde, n'est pas logé à la même enseigne : innombrables sont les exclus du technocosme, et le film Rhône-Poulenc dissimule, sous la mensongère universalité de sa formule de bienvenue, la très inégale répartition de la panmuflerie. Mais ce qu'il montre, ce qu'il révèle même cruellement, c'est l'imposture de ses bénéficiaires quand ils se parent des plumes du vagabond ou de l'aventurier. Hors-sol, arraché à la glèbe, détaché de son paysage natal, le sujet « post-moderne » n'échappe pas à la sphère maternelle, il change subrepticement de mère. Il se dit étranger sur la terre, alors même qu'il fuit l'étrangeté de la nature pour la sécurité des artifices, et l'opacité de la terre pour le confort d'une parfaite autochtonie. Il rend grâce à la technique d'avoir rompu ses ancrages, mais le technocosme est son giron, et ce n'est pas en *nomade,* c'est en *touriste* qu'il visionne le monde et qu'il déambule dans le grand magasin de l'humanité. C'est en touriste gourmand qu'il sait apprécier l'Inde et son riz basmati au même titre que l'Europe centrale et son strudel aux pommes. Et c'est adossé à cet altruisme touristique, à cette xénophilie de galerie marchande qu'il condamne en bloc, sous le nom d'intégrisme, de nationalisme ou de tribalisme, tout ce qui, dans le monde post-totalitaire, relève encore ou à nouveau de l'amour de la patrie.

Comme Péguy l'avait annoncé dans la parabole, si naïvement passéiste en apparence, du fer, de la pierre et du bois, le technocosme met fin aux antinomies sur lesquelles reposaient les anciens mondes : la matière et le vivant, l'homme et les choses, la culture et la nature, la culture et les cultures – tout est métal, tout existe, tout advient sur le mode de la disponibilité et de l'équivalence. L'intraitable est réduit et rendu négociable, les identités venues d'ailleurs et les prénoms lointains prennent place, à côté des fruits exotiques, sur les rayons du supermarché mondial. Mais la colère de Péguy n'avait pas prévu qu'un jour viendrait où l'éthique se penserait et se dirait dans les termes mêmes de la panmuflerie. Nous y sommes. Ce qui se perd, en effet, avec la substitution du touriste au nomade, c'est la différence entre le libre-service et le service d'autrui. La morale du techno-cosme repose tout entière sur la confusion du « Me voici » de la sollicitude avec le « Je veux tout » de l'enfant roi. La multiplicité des produits est érigée en cité harmonieuse, et le combat pour que rien ne reste extérieur au circuit de l'échange en lutte contre l'exclusion. L'antiracisme devient une modalité de la consommation, et la consommation, pour peu qu'elle soit pimentée de saveurs étrangères, une variété de l'antiracisme.

Ainsi s'explique l'incompatibilité entre *Notre jeunesse* et la jeunesse du monde. Le sujet « post-moderne » se flatte d'avoir choisi le risque de l'errance contre les prestiges du lieu, mais s'il reste insensible à l'amitié sans pareille de Bernard-Lazare et de Charles Péguy, c'est que, dans l'espace où il évolue, dans le monde que des graphies, des scopies et des phonies qui ne sont pas moins *télé* les unes que les autres « contribuent jour après jour à rendre meilleur », il n'y a de place ni pour le paysan normalien ni pour le Juif errant.

NOTES

INTRODUCTION

« *Notre jeunesse* » *et la jeunesse du monde*

1. Claude Simon, in *Promesses et menaces à l'aube du* XXI*e siècle (Conférence des lauréats du prix Nobel, 18-21 janvier 1988),* Odile Jacob, 1988, p. 145.

2. Péguy, *Dialogue de l'histoire et de l'âme païenne,* in *Œuvres en prose, 1909-1914,* Pléiade, Gallimard, 1961, pp. 111-113.

3. *Ibid.,* p. 216.

4. Cité *in* Élisabeth de Fontenay, « Nous marchons tous à l'éternité », in *Le Temps de la réflexion,* n° 3, Gallimard, 1982, p. 137.

5. Péguy, *op. cit.,* p. 119.

6. Julien Benda, *La trahison des clercs,* Pauvert, 1965, p. 68.

7. Voir Simone, *Sous de nouveaux soleils,* Gallimard, 1957, p. 220.

8. Bernard-Henri Lévy, *L'idéologie française,* Grasset, 1980, pp. 114-123.

9. Tzvetan Todorov, *Nous et les autres,* Seuil, 1989, p. 293.

10. Zeev Sternhell, *Naissance de l'idéologie fasciste,* Fayard, 1989, p. 51.

11. Gershom Scholem, *Fidélité et utopie,* Calmann-Lévy, 1978, p. 95.

CHAPITRE PREMIER

L'amitié du sédentaire et du Juif errant

1. Maurice Reclus, *Le Péguy que j'ai connu,* Hachette, 1951, p. 93.

2. Voir Michel Winock, *Nationalisme, antisémitisme et fascisme en France,* Seuil, 1990, pp. 145-156.

3. Reproduit *in* Éric Cahm, *Péguy et le nationalisme français,* Cahiers de l'Amitié Charles Péguy, p. 185.

4. *Ibid.,* p. 155.

5. *Ibid.,* pp. 164-165.

6. Péguy, *Notre jeunesse,* in *Œuvres en prose, 1909-1914, op. cit.,* p. 539.

7. Daniel Halévy, « Apologie pour notre passé », *Cahiers de la Quinzaine,* XI-10, 5 avril 1910, p. 7.

8. *Ibid.,* p. 108.

9. Péguy, *Notre jeunesse, op. cit.,* p. 538.

10. *Ibid.,* pp. 541-542.

11. Max Weber, *Le savant et le politique,* 10/18, 1982, p. 173.

12. Nietzsche, *L'Antéchrist,* Folio Essais, Gallimard, 1990, p. 73.

13. Péguy, *Dialogue de l'histoire et de l'âme charnelle,* in *Œuvres en prose, 1909-1914, op. cit.,* p. 364.

14. Péguy, *Le commentaire d'Ève,* variante reproduite *in* Albert Béguin, *L'Ève de Péguy,* Cahiers de l'Amitié Charles Péguy, 1948, p. 217.

15. Péguy, *Dialogue de l'histoire et de l'âme charnelle, op. cit.,* p. 373.

16. *Ibid.,* p. 374.

17. *Ibid.*

18. *Ibid.,* p. 379.

19. *Ibid.,* p. 375.

20. Hannah Arendt, *Penser l'événement,* Belin, 1989, p. 29.

21. *Ibid.,* p. 30.

22. Péguy, *Dialogue de l'histoire et de l'âme charnelle, op. cit.,* p. 379.

23. Péguy, *Notre jeunesse, op. cit.*, p. 646.
24. Benda, *La jeunesse d'un clerc*, Gallimard, 1965, p. 114.
25. Péguy, *Notre jeunesse, op. cit.*, pp. 646-647.
26. *Ibid.*, p. 547.
27. *Ibid.*, p. 549.
28. Péguy, *Louis de Gonzague*, in *Œuvres en prose complètes*, II, Pléiade, Gallimard, 1988, p. 378.
29. Péguy, *Notre jeunesse, op. cit.*, p. 549.
30. *Ibid.*, pp. 549-550.
31. *Ibid.*, p. 547.
32. *Ibid.*, p. 549.
33. *Ibid.*, p. 547.
34. *Ibid.*, p. 623.
35. *Ibid.*, p. 547.
36. Péguy, *Victor-Marie comte Hugo*, in *Œuvres en prose, 1909-1914, op. cit.*, p. 840.
37. Péguy, *Notre jeunesse, op. cit.*, pp. 552-553.
38. *Ibid.*, p. 561.
39. *Ibid.*, p. 574.
40. *Ibid.*, p. 561.
41. *Ibid.*, pp. 561-562.
42. *Ibid.*, p. 574.
43. *Ibid.*, p. 576.
44. *Ibid.*, pp. 576-577.
45. *Ibid.*, p. 576.
46. *Ibid.*, p. 577.

CHAPITRE II

Le monde moderne ou la panmuflerie

1. Jean-Michel Rey, *Colère de Péguy*, Hachette, 1987.
2. Henri Guillemin, *Charles Péguy*, Seuil, 1981.
3. Péguy, *Deuxième élégie XXX*, in *Œuvres en prose complètes*, II, *op. cit.*, p. 946.
4. *Ibid.*, p. 961.
5. *Ibid.*, p. 955.
6. *Ibid.*, p. 949.

7. *Ibid.*, p. 946.
8. *Ibid.*, p. 960.
9. Péguy, *Brunetière,* in *Œuvres en prose complètes,* II, *op. cit.*, p. 604.
10. *Ibid.*, p. 603.
11. Robert Legros, *Romantisme et pensée de la finitude,* Cahiers du centre d'études phénoménologiques, 1983, p. 15.
12. Péguy, *Un poète l'a dit,* in *Œuvres en prose complètes,* II, *op. cit.*, p. 834.
13. *Ibid.*, p. 831.
14. Péguy, *Heureux les systématiques,* in *Œuvres en prose complètes,* II, *op. cit.*, p. 234.
15. Renan, *L'avenir de la science,* in *Œuvres complètes,* III, Calmann-Lévy, 1949, p. 851.
16. Péguy, *Un poète l'a dit, op. cit.*, p. 835.
17. Husserl, *La crise des sciences européennes et la phénoménologie transcendantale,* Gallimard, 1976, p. 60.
18. *Ibid.*
19. Hannah Arendt, *Condition de l'homme moderne,* Calmann-Lévy, 1983, p. 299.
20. Péguy, *Un poète l'a dit, op. cit.*, p. 855.
21. Renan, *L'avenir de la science, op. cit.*, p. 873.
22. Renan, *Prière sur l'Acropole,* in *Souvenirs d'enfance et de jeunesse,* Folio, Gallimard, 1983, p. 47.
23. Péguy, *Deuxième élégie XXX, op. cit.*, pp. 960-961.
24. Barrès, *Les déracinés,* Folio, Gallimard, 1988, pp. 243-244.
25. Taine, *Les origines de la France contemporaine,* I, Bouquins, Laffont, 1986, p. 174.
26. *Ibid.*, p. 173.
27. *Ibid.*, Introduction, p. XXXI.
28. Todorov, *Nous et les autres, op. cit.*, p. 186.
29. Taine, *Histoire de la littérature anglaise,* I, Hachette, 1863, p. XXIII.
30. Barrès, *Les déracinés, op. cit.*, p. 85.
31. Franz von Baader, *in* Eugène Susini, *La philosophie de Franz von Baader,* Vrin, 1942, p. 192.
32. Barrès, *Leurs figures,* Plon, 1936, p. 239.

33. Taine, *Les origines de la France contemporaine, op. cit.*, p. 152.
34. Cité *in* Zeev Sternhell, *Maurice Barrès et le nationalisme français,* Complexe, 1985, p. 296.
35. Barrès, *Les diverses familles spirituelles de la France,* Paris, Émile-Paul, 1917, pp. 92-93.
36. Péguy, *L'argent,* in *Œuvres en prose, 1909-1914, op. cit.*, p. 1130.
37. *Ibid.*, p. 1131.
38. *Ibid.*, p. 1130.
39. Péguy, *Zangwill,* in *Œuvres en prose complètes,* I, Pléiade, Gallimard, 1987, p. 1417.
40. *Ibid.*, p. 1439.
41. *Ibid.*, p. 1447.
42. *Ibid.*, p. 1446.
43. Cité *in* Jérôme et Jean Tharaud, *Notre cher Péguy,* II, Plon, 1926, p. 197.
44. Barrès, *in* Pierre de Boisdeffre, *Barrès parmi nous,* Amiot-Dumont, 1952, p. 87.
45. Barrès, *Le voyage de Sparte,* Paris, Juven, 1906, p. 79.
46. Barrès, *La terre et les morts,* reproduit *in* Raoul Girardet, *Le nationalisme français (Anthologie 1871-1914),* Seuil, 1983, p. 187.
47. Barrès, *Un homme libre,* in Pierre de Boisdeffre, op. cit., p. 69.
48. Péguy, *Dialogue de l'histoire et de l'âme charnelle, op. cit.*, p. 374.
49. Barrès, *La terre et les morts, op. cit.*, p. 186.
50. Péguy, *Heureux les systématiques, op. cit.*, p. 295.
51. Péguy, *Dialogue de l'histoire et de l'âme charnelle, op. cit.*, p. 380.
52. Jacques Copeau, *Appels,* Gallimard, 1974, p. 197.
53. Péguy, *Notre jeunesse, op. cit.*, p. 647.
54. *Ibid.*
55. Péguy, *Le porche du mystère de la deuxième vertu,* in *Œuvres poétiques complètes,* Pléiade, Gallimard, 1975, pp. 614-615.
56. Péguy, *Deuxième élégie XXX, op. cit.*, p. 948.

57. Péguy, *Note conjointe sur M. Descartes et la philosophie cartésienne,* in *Œuvres en prose, 1909-1914, op. cit.*, p. 1507.
58. Barrès, *Mes cahiers,* II, Plon, 1930, p. 58.

CHAPITRE III

Le prix d'une patrie charnelle

1. S. Bernstein et P. Milza, *Histoire de la France au XXe siècle, 1890-1930,* Complexe, 1990, p. 220.
2. *Ibid.*, p. 221.
3. *Ibid.*
4. Péguy, *Notre patrie,* in *Œuvres en prose complètes,* II, *op. cit.*, p. 19.
5. *Ibid.*, p. 60.
6. *Ibid.*, pp. 60-61.
7. *Ibid.*, p. 29.
8. Péguy, *À nos amis, à nos abonnés,* in *Œuvres en prose complètes,* II, *op. cit.*, p. 1314.
9. Maurras, *Les princes des nuées,* Taillandier, 1928, p. 13.
10. *Ibid.*, p. 418.
11. Péguy, *À nos amis, à nos abonnés, op. cit.*, p. 1307.
12. Péguy, *L'argent suite,* in *Œuvres en prose, 1909-1914, op. cit.*, p. 1221.
13. Benda, *La jeunesse d'un clerc, op. cit.*, p. 1119.
14. Halévy, *Apologie pour notre passé, op. cit.*, p. 108.
15. Péguy, *Notre jeunesse, op. cit.*, p. 642.
16. Péguy, *Par ce demi-clair matin,* in *Œuvres en prose complètes,* II, *op. cit.*, p. 96.
17. Péguy, *Lettre à M. le rédacteur en chef du Journal du Loiret,* in *Œuvres en prose complètes,* I, *op. cit.*, p. 119.
18. Péguy, *Notre jeunesse, op. cit.*, pp. 646-647.
19. *Ibid.*, p. 647.
20. *Ibid.*
21. Abel Bonnard, cité *in* P.A. Taguieff, *La force du préjugé,* Tel, Gallimard, 1990, p. 342.
22. Fustel de Coulanges, *L'Allemagne est-elle allemande ou française ? (Réponse à M. Mommsen),* reproduit *in* François Hartog,

Le XIXe siècle et l'Histoire (Le cas Fustel de Coulanges), P.U.F., 1988, p. 381.

23. Péguy, *L'argent suite, op. cit.*, p. 1236.
24. *Ibid.*, p. 1246.
25. *Ibid.*, p. 1253.
26. Jérôme et Jean Tharaud, *Notre cher Péguy, op. cit.*, p. 236.
27. Péguy, *Ève*, in *Œuvres poétiques complètes, op. cit.*, pp. 1028-1029.
28. Péguy, *L'argent suite, op. cit.*, p. 1216.
29. Hannah Arendt, *L'impérialisme*, Fayard, 1982, p. 239.
30. Jules Ferry, cité *in* Raoul Girardet, *L'idée coloniale en France de 1871 à 1962*, Pluriel, Le Livre de Poche, pp. 82-83.
31. Péguy, *Notre jeunesse, op. cit.*, p. 588.
32. René Johannet, *Vie et mort de Péguy*, Flammarion, 1950, pp. 444-445.
33. Simone, *Sous de nouveaux soleils, op. cit.*, p. 228.
34. Emmanuel Berl, *Interrogatoire* par Patrick Modiano, Gallimard, 1976, p. 34.
35. Ernst Jünger, *La mobilisation totale*, Tel, Gallimard, 1990, p. 107.
36. Raymond Aron, *Les guerres en chaîne*, Gallimard, 1951, p. 23.
37. Stefan Zweig, *Le monde d'hier*, Belfond, 1982, p. 267.
38. Barrès, « Charles Péguy mort au champ d'honneur », *L'Écho de Paris*, 17 septembre 1914, reproduit *in* Éric Cahm, *Péguy et le nationalisme français, op. cit.*, p. 235.
39. Cité *in* René Johannet, *Vie et mort de Péguy, op. cit.*, p. 258.
40. Bernanos, *Les enfants humiliés*, Gallimard, 1976, p. 29.
41. Romain Rolland, *Péguy*, II, Albin Michel, 1944, p. 183.
42. Péguy, *Le ravage et la réparation*, in *Œuvres en prose complètes*, I, *op. cit.*, p. 263.
43. Péguy, *Encore de la grippe*, in *Œuvres en prose complètes*, I, *op. cit.*, p. 432.
44. Péguy, *Zangwill, op. cit.*, p. 1447.
45. Baudelaire, *Curiosités esthétiques, L'art romantique et autres essais*, Garnier, 1962, p. 218.

46. Jünger, *Le travailleur,* Christian Bourgois, 1989, pp. 194-195.
47. Félicien Challaye, *Péguy socialiste,* Amiot-Dumont, 1954, p. 313.
48. Félicien Challaye, cité *in* Christian Jelen, *Hitler ou Staline, le prix de la paix,* Flammarion, 1988, p. 41.
49. Giono, *Écrits pacifistes,* Idées, Gallimard, 1978, p. 253.
50. Challaye, *Pour une paix sans aucune réserve,* cité *in* Christian Jelen, *Hitler ou Staline, le prix de la paix, op. cit.,* p. 85.
51. Léon Daudet, cité *in* Eugen Weber, *L'Action française,* Pluriel, Le Livre de Poche, 1985, p. 465.
52. *Ibid.,* p. 464.
53. Maurras, *La seule France,* Lyon, H. Lardanchet, 1941, p. 128.
54. Jankélévitch, *L'imprescriptible,* Seuil, 1986, p. 86.
55. Bernanos, *Nous autres, Français* in *Essais et écrits de combat,* I, Pléiade, Gallimard, 1971, p. 723.
56. Cité *in* Jean Roussel, *Mesure de Péguy,* Corréa, 1946, p. 26. Et Jean Roussel commente : « Ainsi avons-nous vu des messieurs, qui n'officient jamais en marge de l'histoire et du conformisme académique, polir aux applaudissements d'auditoires ignorants un Péguy parfaitement inoffensif monté en image d'Épinal et destiné à prendre place dans une sorte de *Légende dorée* de la pensée française. »
57. Bernanos, « Son heure sonnera... », *Esprit,* août-septembre 1964, p. 440.
58. Louis Parrot, *L'intelligence en guerre,* Le Castor astral, 1990, p. 28.

CHAPITRE IV

L'humanité précaire et le socialisme

1. Renan, *Dialogues et fragments philosophiques,* in *Œuvres complètes,* I, Calmann-Lévy, 1947, p. 552.
2. Péguy, *Encore de la grippe, op. cit.,* p. 423.
3. Renan, *Dialogues et fragments philosophiques, op. cit.,* p. 610.

4. Renan, *L'avenir de la science, op. cit.*, p. 996.
5. *Ibid.*, p. 1001.
6. *Ibid.*, p. 799.
7. Renan, *Dialogues et fragments philosophiques, op. cit.*, pp. 606-607.
8. Péguy, *Encore de la grippe, op. cit.*, p. 425.
9. Renan, *L'avenir de la science, op. cit.*, p. 999.
10. Péguy, *Encore de la grippe, op. cit.*, p. 432.
11. Renan, *L'avenir de la science, op. cit.*, p. 874.
12. *Ibid.*, p. 866.
13. *Ibid.*, p. 884.
14. Cité par Péguy, *Encore de la grippe, op. cit.*, p. 433.
15. Péguy, *ibid.*, pp. 432-433.
16. *Ibid.*, p. 432.
17. Horkheimer, *Théorie critique,* Payot, 1978, p. 340.
18. Péguy, *Encore de la grippe, op. cit.*, p. 432.
19. *Ibid.*, p. 433.
20. *Ibid.*
21. *Ibid.*
22. *Ibid.*
23. Péguy. *De la grippe,* in *Œuvres en prose complètes,* I, *op. cit.*, p. 404.
24. Voir le remarquable article de Paul Thibaud, « L'anti-Jaurès », *Esprit,* août-septembre 1964, pp. 240-263.
25. Péguy, *Réponse provisoire,* in *Œuvres en prose complètes,* I, *op. cit.*, p. 339.
26. Péguy, *L'argent suite, op. cit.*, p. 1205.
27. Renan, *Dialogues et fragments philosophiques, op. cit.*, p. 597.
28. Péguy, *La préparation du congrès socialiste national,* in *Œuvres en prose complètes,* I, *op. cit.*, p. 355.
29. *Ibid.*, pp. 355-356.
30. *Ibid.*, p. 358.
31. *Ibid.*, pp. 371-372.
32. Cité *in* Péguy, *Encore de la grippe, op. cit.*, p. 430.
33. Jaurès, *Le Manifeste communiste de Marx et Engels,* Spartacus, 1968, p. 26.
34. Renan, *L'avenir de la science, op. cit.*, p. 728.
35. *Ibid.*, p. 866.

36. Péguy, *Encore de la grippe, op. cit.*, p. 430.
37. Péguy, *Casse-cou*, in *Œuvres en prose complètes*, I, *op. cit.*, p. 692.
38. *Ibid.*, p. 697.
39. Péguy, *L'affaire Dreyfus et la crise du parti socialiste*, in *Œuvres en prose complètes*, I, *op. cit.*, p. 231.
40. Cité *in* Péguy, *Casse-cou, op. cit.*, p. 696.
41. *Ibid.*, p. 701.
42. *Ibid.*, p. 706.
43. Péguy, *Par ce demi-clair matin, op. cit.*, p. 104.
44. Horkheimer, *Les débuts de la philosophie bourgeoise de l'histoire*, Payot, 1980, p. 118.
45. Victor Goldschmidt, *Le système stoïcien et l'idée de temps*, Vrin, 1989, p. 175.
46. Péguy, *Par ce demi-clair matin, op. cit.*, p. 97.
47. *Ibid.*
48. Cité *in extenso, in* Péguy, *Un poète l'a dit*, in *Œuvres en prose complètes*, II, *op. cit.*, pp. 858-859.
49. Péguy, *Bar-Cochebas*, in *Œuvres en prose complètes*, II, *op. cit.*, p. 668.
50. Pierre Chambat et Alain Ehrenberg, *Le Débat*, n° 50, Gallimard, 1988, p. 197.
51. Claude Lefort, *Essais sur le politique* (XIXe-XXe *siècles*), Seuil, 1986, p. 20.
52. Renan, *L'avenir de la science, op. cit.*, p. 908.
53. Péguy, *Bar-Cochebas, op. cit.*, p. 663.
54. Péguy, *Notes pour une thèse*, in *Œuvres en prose complètes*, II, *op. cit.*, p. 1182.
55. Péguy, *Bar-Cochebas, op. cit.*, p. 659.
56. Péguy, *Marcel, de la cité harmonieuse*, in *Œuvres en prose complètes*, I, *op. cit.*, p. 56.
57. *Ibid.*, p. 76.
58. Péguy, *De Jean Coste*, in *Œuvres en prose complètes*, I, *op. cit.*, p. 1020.
59. Voir Jacques Ozouf, *Nous, les maîtres d'école* (*Autobiographies d'instituteurs de la Belle Époque*), Archives, Gallimard, 1973.
60. Péguy, *De Jean Coste, op. cit.*, pp. 902-903.
61. *Ibid.*, p. 1027.

62. *Ibid.*, p. 1034.
63. Péguy, *Casse-cou, op. cit.*, p. 711.
64. Péguy, *De Jean Coste, op. cit.*, p. 1033.
65. *Ibid.*, pp. 1017-1018.
66. Arthur Koestler, cité *in* Michaël Löwy, *Rédemption et utopie (Le judaïsme libertaire en Europe centrale)*, P.U.F., 1988, p. 222.
67. Koestler, *La quête de l'absolu*, Calmann-Lévy, 1981, p. 66.
68. Péguy, *Pour moi*, in *Œuvres en prose complètes*, I, *op. cit.*, pp. 678-679.
69. Péguy, *Cahiers V, VII*, in *Œuvres en prose complètes*, I, p. 1271.
70. Péguy, *Pour moi, op. cit.*, p. 678.
71. Péguy, *De la raison*, in *Œuvres en prose complètes*, I, *op. cit.*, p. 839.
72. Péguy, *Un nouveau théologien, M. Fernand Laudet*, in *Œuvres en prose, 1909-1914, op. cit.*, p. 1052.
73. Péguy, *Encore de la grippe, op. cit.*, p. 432.
74. Péguy, *Par ce demi-clair matin, op. cit.*, p. 104.
75. *Ibid.*, p. 96.
76. Hervé, *Leur patrie*, À la bibliographie sociale, s.l., 1905, p. 115.
77. *Ibid.*, p. 8.
78. Péguy, *Le « triomphe de la République »*, in *Œuvres en prose complètes*, I, *op. cit.*, p. 309.
79. Péguy, *La préparation du congrès socialiste national, op. cit.*, p. 374.
80. Jaurès, *L'armée nouvelle*, Éditions Sociales, 1978, p. 331.
81. Jaurès, *Œuvres*, II, Rieder, 1931, p. 247.
82. Andler, *Le socialisme impérialiste dans l'Allemagne contemporaine*, Paris, 1918, p. 117.
83. Péguy, *Zangwill, op. cit.*, p. 1447.
84. Péguy, *Encore de la grippe, op. cit.*, p. 424.
85. Péguy, *L'argent suite, op. cit.*, p. 1305.
86. *Ibid.*, p. 1306.
87. *Ibid.*, p. 1246.
88. *Ibid.*, p. 1238.

89. Nietzsche, *Par-delà bien et mal,* Œuvres philosophiques complètes, VII, Gallimard, 1971, p. 169.

ÉPILOGUE

Le sourire du technocosme

1. Michelet, *L'oiseau,* J.M.L., 1982, p. 51.
2. Péguy, *Marcel, de la cité harmonieuse, op. cit.,* p. 56.
3. Renan, *Dialogues et fragments philosophiques, op. cit.,* p. 601.
4. *Ibid.,* p. 618.
5. Ernst Bloch, *Le principe Espérance,* II, Gallimard, 1983, p. 541.
6. Michelet, *L'oiseau, op. cit.,* p. 52.
7. Michelet, *Le peuple,* Champs, Flammarion, 1974, p. 182.
8. Péguy, *Bar-Cochebas, op. cit.,* p. 657.
9. Vattimo, *La fin de la modernité,* Seuil, 1987, p. 105.
10. Péguy, *Bar-Cochebas, op. cit.,* p. 669.
11. *Ibid.,* p. 656.
12. Lévinas, *Difficile liberté,* Albin Michel, 1976, p. 40.
13. Blanchot, *L'entretien infini,* Gallimard, 1969, p. 186.
14. Jabès, *Le livre des questions,* L'Imaginaire, Gallimard, 1990, p. 283.
15. Rosenzweig, *L'étoile de la rédemption,* Seuil, 1982, p. 354.
16. Patocka, *Le monde naturel et le mouvement de l'existence humaine,* Kluwer Academic Publishers, 1988, p. 112.
17. Élisabeth de Fontenay, in *L'homme, la nature et le droit,* Christian Bourgois, 1988, p. 383.

Composé et achevé d'imprimer
sur Roto-Page
par l'Imprimerie Floch
à Mayenne, le 23 janvier 1992.
Dépôt légal : janvier 1992.
1er dépôt légal : décembre 1991.
Numéro d'imprimeur : 31906.
ISBN 2-07-072421-2 / Imprimé en France.

55411